TODO MUNDO ODEIA UM VENCEDOR

DONALD J. TRUMP E
CHARLES LEERHSEN

Título original: *Trump: Surviving at the Top*

Copyright © 1990 Donald J. Trump

Todo mundo odeia um vencedor

2ª edição: Janeiro 2025

Direitos reservados desta edição: Citadel Editorial SA

O conteúdo desta obra é de total responsabilidade do autor e não reflete necessariamente a opinião da editora.

Autores:
Donald Trump
Charles Leerhsen

Tradução e preparação de texto:
Lúcia Brito

Revisão:
3GB Consulting

Projeto gráfico:
Dharana Rivas

DADOS INTERNACIONAIS DE CATALOGAÇÃO NA PUBLICAÇÃO (CIP)

T795t   Trump, Donald John.
           Todo mundo odeia um vencedor / Donald J. Trump, Charles Leerhsen. – Porto Alegre: CDG, 2019.

           272 p.

           1. Negócios. 2. Relações interpessoais. 3. Sistemas econômicos. 4. Desenvolvimento pessoal. I. Título.

CDD - 330.973

Produção editorial e distribuição:

contato@citadeleditora.com.br
www.citadeleditora.com.br

Para Steve, Mark e Jon.

AGRADECIMENTOS

Quando meu bom amigo Si Newhouse, dono da Random House, sugeriu que eu escrevesse meu primeiro livro, fiquei desconfiado. A última coisa que eu precisava fazer era um livro sobre mim que desse em nada. Si estava confiante porque havia notado que, quando minha foto aparecia na capa das revistas publicadas por ele, as edições batiam recordes de venda. Si é um homem muito persistente, e fiquei lisonjeado pelo interesse dele. "Certo", eu enfim disse, "vamos fazer."

Peter Osnos, editor associado da Random House, experiente e talentoso, veio trabalhar comigo no livro, e nos juntamos ao escritor Tony Schwartz. Si estava certo, o livro se tornou um dos maiores sucessos editoriais dos últimos anos. Depois de lançado, em 1987, *A arte da negociação* ficou na lista dos mais vendidos do *New York Times* por 32 semanas, muitas delas em primeiro lugar. O que muita gente achou que fosse apenas um livro para Nova York acabou traduzido em mais de uma dúzia de idiomas e se tornou um *best-seller* internacional. No todo, o público aqui e no exterior manifestou grande entusiasmo em relação a mim desde o lançamento. Olhando agora, vejo que escrever *A arte da negociação* foi uma das experiências mais satisfatórias e gratificantes de minha vida.

Peter e eu tivemos que encontrar outro escritor, dessa vez porque Tony estava ocupado com outros projetos. Escolhemos Charles Leerhsen, escritor sênior da *Newsweek*, que desde o início compartilhou nossa ideia de que este segundo livro deveria não simplesmente dar seguimento à história de meus maiores negócios, mas ser uma obra mais pessoal.

Conquistei algumas das maiores vitórias de minha carreira após meu primeiro livro, mas também encarei alguns obstáculos que me ensinaram a não dar a conquista por garantida. Por isso decidi chamar este livro de *Surviving at the Top* (Sobrevivendo no topo)[*].

Espero que você goste e possa tirar proveito. Sei que este livro oferece não só melhores conselhos de negócios, mas também, penso eu, mais lições sobre a vida e sobre os problemas da fama e da fortuna.

D. J. T.

Charles Leerhsen gostaria de agradecer a várias pessoas cujo auxílio foi inestimável durante a redação deste livro, em especial Joni Evans, Robert Trump, Harvey Freeman, Blanche Sprague, Jon Bernstein, Susan Heilbron, Richard Wilhelm, Jeff Walker, Barbara Res, Rhona Graff, Carol Schneider, Virginia Avery, Bob Aulicino, Carole Lowenstein, Linda Kaye, Eve Adams, Bernie Klein, Mitchell Ivers, Jane Henning, Jenny Jackson, Matthew Calamari, Brian Baudreau,

[*] Como o leitor verá mais adiante, originalmente Donald Trump cogitou o título *Everybody Hates a Winner* (Todo mundo odeia um vencedor). Decidimos lançar o livro no Brasil com essa ideia original por considerá-la mais polêmica – bem ao estilo Trump. (N.E.)

John Barry, Sal Alfano, Janet Kellock (da Serviços de Transcrição Profissionais) e à legendária agente literária Kris Dahl – assim como Erica, Deborah e Nora Leerhsen. Uma dívida especial de gratidão a Norma Foerderer, que forneceu dados concretos e sabedoria – e abriu caminho para as muitas e longas sessões criativas com Donald Trump que tornaram este livro possível.

O crédito pertence ao homem que de fato está na arena,
àquele cujo rosto está desfigurado pelo pó e pelo suor,
àquele que se empenha com valentia,
que erra e pode falhar vez após vez,
pois não existe esforço sem erro ou defeito,
àquele que de fato se empenha em agir,
que conhece o grande entusiasmo, a grande devoção.

— THEODORE ROOSEVELT

Sabe, você não se diverte nada se fica famoso *demais*.

— LOUIS ARMSTRONG

SUMÁRIO

PARTE 1

1 – Agora vem a parte difícil	· 15
2 – O jogo da sobrevivência	· 35
3 – Trump *versus* Trump: desfazendo o acordo	· 63
4 – A vida no topo	· 81

PARTE 2

5 – Resorts International: as negociações com Merv	· 115
6 – Grand Hotel: a compra do Plaza	· 137
7 – Voando alto: a história da Shuttle	· 163
8 – Navio dos tesouros: o *Trump Princess*	· 183
9 – Batalha na Boardwalk: a vida em Atlantic City	· 199
10 – Playboy e Penthouse: um belo par	· 209
11 – Mike Tyson e eu	· 229

PARTE 3

12 – Garra	· 245

PARTE I

1

AGORA VEM
A PARTE DIFÍCIL

Um helicóptero cai, e de repente vários bons amigos estão mortos.

Um casamento desanda depois de doze anos.

Um campeão dos pesos pesados, em cuja carreira você está envolvido e que todos consideravam invencível, desaba inerte na lona, perto de onde você está sentado.

O clima dos negócios muda, e os chamados especialistas começam a questionar se você perdeu o jeito para a coisa. Você sabe muito bem que não. Mas também sabe, melhor do que muita gente, que percepção é a realidade. E assim você tem uma tarefa em mãos.

Não importa se você tem US$ 3 bilhões ou US$ 300 no banco: a vida é uma série de desafios. Alguns desafios que você encara acabam bem. Outros, não. Aprendi que o que separa vencedores de perdedores – nos negócios e em qualquer outro aspecto da vida – é o modo como a pessoa reage a cada reviravolta do destino. Você tem de estar confiante ao encarar o mundo a cada dia, mas não pode ser convencido demais. Qualquer um que pense que vai ganhar todas acabará sendo um grande perdedor.

Esta é a Fase 2 de minha vida, na qual o caminho fica bem mais duro, e as vitórias, por serem obtidas com mais esforço, parecem as mais doces.

Os últimos três anos foram um período de desafios extraordinários para mim – sucessos e reveses. Comprei e restaurei à grandeza o Plaza Hotel, um marco de Nova York. Adquiri a dilapidada Eastern Shuttle e a transformei na melhor linha aérea de sua categoria como Trump Shuttle. Ergui o magnífico Taj Mahal, um dos maiores hotéis-cassino do mundo – e um projeto que vários especialistas previram que jamais seria concluído.

De certa forma, continuei fazendo aquilo em que sempre fui bom: adquirindo novas propriedades e seguindo minha intuição em novos e variados setores, realizando transações e travando guerras nos negócios.

Mas nem todas as novidades foram positivas.

Encarei tempos difíceis, tanto na minha vida particular quanto nos negócios. Como resultado, não sou a mesma pessoa que era há poucos anos. As mudanças pelas quais passei – e as coisas surpreendentes que vi acontecer ao longo do percurso – constituem este livro.

Creio ser de importância vital encarar a realidade, por mais desagradável que seja, nos momentos de pressão. Vivemos em uma época em que corporações imensas e investidores importantes se encontram no meio de uma grande reestruturação. Os negócios têm ciclos, e até os anos 1980 tiveram de chegar ao fim.

A década de 1980 foi a era frenética das aquisições alavancadas e das megafusões – um tempo em que praticamente qualquer empreendedor com um bom histórico conseguia levantar enormes quantias de dinheiro nos bancos ou com a venda de títulos de alto risco com uma facilidade sem precedente. Também foi uma época em que "adquirir" virou sinônimo de "ganhar".

Quando estudei na Escola Wharton, aprendi que comprar na baixa e vender na alta era basicamente a alma do negócio. No entanto, na última década, com frequência predominou uma mentalidade diferente, e qualquer um que recuasse após ter mostrado interesse em qualquer tipo de ativo era considerado um perdedor. Eu ficava muito de cara quando abandonava as ofertas por alguma coisa e recebia um telefonema de um repórter perguntando: "Então, Sr. Trump, como é ser derrotado?".

Eu sabia que o verdadeiro perdedor era o cara que tinha pagado caro demais. Mesmo assim, em certa medida fui pego pelo frenesi comprista – embora até meus críticos tenham de admitir que acabei com alguns bens de categoria verdadeiramente mundial. Olhando para trás, vejo que houve dois motivos para o que aconteceu, à parte o fato de o dinheiro exigido estar sempre disponível. O primeiro é que algumas vezes sou competitivo demais para o meu próprio bem. Se alguém vai andar por aí rotulando as pessoas de ganhadoras ou perdedoras, quero entrar no jogo e, é claro, sair por cima.

O outro motivo é que fico entediado com excessiva facilidade. Minha capacidade de atenção é curta, e provavelmente o que menos gosto de fazer é manter o *status quo*. Em vez de ficar contente quando tudo vai bem, começo a ficar impaciente e irritadiço.

Por isso busco mais e mais negócios para fazer. Nos dias em que tenho várias negociações das boas em andamento, os telefonemas e faxes vão e vêm, e a tensão é palpável – bem, nessas horas me sinto como as outras pessoas se sentem quando estão de férias.

Isso gerou alguns mal-entendidos. Muita gente me chamou de ganancioso pela forma como acumulei imóveis, companhias, helicópteros, aviões e iates nos últimos anos. Mas o que esses críticos não sabem é que os mesmos bens que me empolgam para ir à caça com frequência me deixam entediado uma vez adquiridos. É provável que não tenha ido a Mar-a-Lago, minha casa de 118 cômodos em Palm Beach, mais do que duas dúzias de vezes desde que a possuo. Quanto ao meu iate, o *Trump Princess*, é um troféu deslumbrante e uma ferramenta de trabalho incrível, mas nunca se tornou realmente parte da minha vida pessoal.

Para mim, veja bem, o importante é conseguir... e não possuir.

Por isso não fiquei muito chateado ao ter que reestruturar meu patrimônio e simplificar minhas operações e estilo de vida em geral – em grande parte porque o mercado dos cassinos de Atlantic City deu uma fraquejada, e minhas propriedades lá geraram menos dinheiro do que eu esperava. A situação chegou ao ponto crítico na primavera. Durante várias semanas de barganha muito dura, meus banqueiros e eu elaboramos um acordo sensacional, que me dá tempo, dinheiro e margem de manobra para sair dessa mais forte do que nunca. As negociações foram a coisa mais intensa que já experimentei. Meus credores se comportaram de forma honrada ao longo de todo o processo, mas a imprensa entendeu a história errado constantemente, exagerando a probabilidade de minha ruína – e torcendo por ela. Vejo a negociação como uma grande vitória – e no fim o resto do mundo também vai ver. Claro que foi enervante ter todo mundo me observando e indagando se eu iria fracassar. Eu não poderia falar em público sem pôr em risco as negociações. Mesmo assim, no meio de tudo isso, percebi que estava fazendo o que mais gosto de fazer – batalhando de volta da beira do abismo.

Não há dúvida de que o início dos anos 1990 será, para mim e para vários outros empreendedores, um período de retração, a hora em que os empresários que se deram bem nos anos 1980 terão de apertar o cinto de novo e abrir mão de helicópteros, jatos particulares e outros brinquedos caros. Mas também vejo os próximos anos como um período de grandes oportunidades – em certos aspectos muito semelhante à época em que comecei, há quinze anos.

Uma das coisas mais importantes que sei agora e que não sabia naquele tempo, nem mesmo há poucos anos, tem a ver com invencibilidade. Deixe-me explicar.

Em um domingo à tarde, em Tóquio, eu estava impaciente e ainda um pouco tenso por causa do *jet lag*. Em minutos Mike Tyson lutaria com James "Buster" Douglas.

Costumo apreciar o espetáculo de uma grande luta de pesos pesados, ainda mais quando envolve Mike Tyson, boxeador que vim a conhecer e respeitar. Mas Tyson tinha tamanha aura de invencibilidade àquela altura – fevereiro de 1990 – que o resultado da luta parecia certo, e eu só queria que acabasse. Eu já estava no Japão havia dias, trabalhando em alguns possíveis negócios. Tinha dado muitos autógrafos e ficado profundamente impressionado com a paixão dos japoneses pela precisão em tudo o que fazem. Mas agora não queria nada a não ser voltar para Nova York.

Eu não era o único a pensar que a luta era uma perda de tempo. Os corretores se recusaram a receber apostas em Tyson em qualquer margem. A arena imensa tinha cerca de um terço de lugares vazios, pois os japoneses, que não são bobos, presumiram que seria um outro massacre de um ou dois *rounds*. E até Mike parecia ver Buster Douglas como coisa do passado. Certa noite antes da luta, ouvi Mike dizer a uma das minhas executivas que lhe desejou boa sorte contra Douglas: "Não se preocupe, meu bem, sei como cuidar disso".

Em retrospecto, percebo que deveria ter sabido, quando vi Mike acreditando na própria fanfarronice, que ele estava pronto para cair. Mas nunca poderia ter previsto que seria tão cedo. O que aconteceu depois de soar o gongo entrou para a história do boxe como uma das maiores derrotas de todos os tempos, é claro. Lembro que, após uns três *rounds* assistindo a Douglas surrar Mike implacavelmente, virei para Don King, sentado perto de mim, e perguntei: "Mas que diabos está acontecendo aqui?".

"Não sei", respondeu Don. "Simplesmente não sei."

Vieram o quarto, quinto e sexto *rounds*. Mike, que nunca tinha perdido e nem sequer chegado perto de perder, continuava a ser espancado. Por fim Don King virou-se para mim, balançou a cabeça e disse: "Inacreditável, cara. Realmente inacreditável".

Ele estava certíssimo. Talvez você lembre que houve um breve momento no oitavo *round* em que Mike se recobrou e derrubou Douglas, que parece ter-se beneficiado de uma contagem longa – impressão confirmada pelo videoteipe. Mas o vídeo também mostrou que Mike levou uma sova daquelas por dez *rounds* inteiros antes de finalmente cair. No final, isso é tudo que importa.

Tem gente que diz que Mike perdeu de propósito para marcar uma revanche milionária com Douglas. Bobagem. O que a maioria das pessoas não sabe – e eu mesmo só descobri mais tarde – é que Mike estava tão certo da vitória contra Douglas que nem havia uma cláusula de revanche automática no contrato. Além disso, Mike nunca faria nada – especialmente ceder o cinturão de campeão – só pelo dinheiro. Aos 23 anos, ele já tinha aprendido a importante verdade de que dinheiro em si não é uma *commodity* muito interessante.

O que é *fascinante*, pelo menos para mim, é o jogo que todos nós jogamos para conseguir seja qual for o dinheiro e *status* que te- nhamos. Foi por isso que, enquanto assistia ao ex-campeão receber ajuda para se levantar e via os jornalistas esportivos correrem para a sala de entrevistas para perguntar "O que aconteceu, Mike?", me dei conta de uma coisa. Na verdade, a pergunta-chave agora é: o que vai acontecer com Mike Tyson *daqui para a frente?* Porque para ele o jogo mudou. De fato, após quatro meses de afastamento, Mike venceu a luta seguinte de forma decisiva.

Mas, contra Douglas, Mike aprendeu algo sobre si e sobre a vida. E agora tem de encarar o mundo todos os dias sabendo que, embora seja um grande lutador, não é todo-poderoso. Há alguns aspectos da sua vida sobre os quais ele não tem controle.

Eu não sabia disso aos 23 anos. Mas agora consigo identificar.

Não que eu tenha sofrido um nocaute. Longe disso. Mas, após uma longa série de vitórias, estou sendo testado sob pressão. Também estou sob o olhar público há bastante tempo, de forma que o pêndulo oscilou, e muita gente da mídia que um dia me colocou em um pedestal agora mal pode esperar para que eu caia. As pessoas gostam de heróis, de um garoto de ouro, mas muitas gostam ainda mais de um herói derrotado. Já era assim muito antes de eu aparecer, e consigo lidar com isso. Sei que, haja o que houver, sou um sobrevivente – um sobrevivente do sucesso, o que de fato é algo muito raro.

O processo básico de crescimento e mudança que estou descrevendo não é exclusivo de Donald Trump. Acontece com todo mundo que tenha a sorte de não morrer jovem. A principal diferença entre mim e os outros é que tive de encarar desafios e tomar decisões difíceis sob a luz dos holofotes. Não estou me queixando da atenção que recebo. Publicidade é importante, pois gera interesse por meus hotéis, prédios residenciais e outros projetos. Mas às vezes escapa do controle, e todos os meus movimentos são examinados pela imprensa ao ponto do absurdo.

Para citar um exemplo, é óbvio que não sou o único quarentão a se separar da esposa. Contudo, talvez seja o primeiro a ter de aguentar vários meses de manchetes e noticiários sensacionalistas sobre a separação e programas de TV repletos de terapeutas e advogados com quem nunca me encontrei matracando sobre meus supostos problemas conjugais como se soubessem do que estavam falando.

A publicidade desumaniza as pessoas aos poucos. Para muita gente, Donald Trump não é mais um ser humano de carne e osso.

Em vez disso, sou um símbolo de riqueza, fama, egotismo, ganância e provavelmente várias outras coisas não muito bacanas. Minha separação de Ivana não é vista como um acontecimento triste, como a desintegração de outras famílias. Em vez disso, é um melodrama exibido para entreter o público. Pessoas da mídia, algumas das quais conheço há muitos anos, ligam pedindo informações, suponho que a mando dos editores. Mas, quando coopero e tento explicar minha posição, escrevem que "publicidade é a cocaína de Trump".

A realidade parece não interessar a ninguém. Não interessa, por exemplo, que eu tenha uma sólida relação com meus filhos; as pessoas – muitas vezes as mesmas que publicam manchetes que poderiam causar muita confusão e constrangimento a meus filhos se eles não estivessem resguardados disso – me criticam como pai. Não parece importar que meus prédios em Nova York e meus hotéis-cassino em Atlantic City estejam indo bem, apesar das más condições do mercado em geral. Alguns escritores e apresentadores continuarão a dizer que estou prestes a cair ou já desabei.

Veja, não espero que ninguém sinta pena de mim, mas o fato é que sou apenas humano. Além do mais, a Organização Trump é como a Companhia Disney em alguns aspectos: a imagem significa muito para mim. Se as pessoas não associarem meu nome a qualidade e sucesso, terei sérios problemas, assim como os milhares de pessoas que trabalham para mim e dependem de eu ir bem para o seu sustento. Infelizmente, é preciso anos de luta implacável pela perfeição a fim de se criar uma imagem, mas umas farpas impensadas de alguns babacas munidos de processadores de texto podem macular uma reputação.

Não é apenas a imprensa de negócios e o desejo do público de ver os poderosos caírem que tornam a vida na chamada alta roda tão perigosa e, para muitos, tão transitória também. Qualquer um que chegue ao topo na sua profissão dirá, se for honesto, que seu pior inimigo potencial é ele mesmo. É raro a pessoa conseguir alcançar um objetivo maior na vida e não começar a se sentir quase que imediatamente triste, vazia e meio perdida. Se olhar os registros – no caso, jornais, revistas e noticiários na TV –, você vai ver que uma quantidade horrível de pessoas que atingem o sucesso, de Elvis Presley a Ivan Boesky, perdem o prumo ou a ética.

Na verdade, não preciso olhar a vida de ninguém para saber que isso é verdade. Sou tão suscetível a essa armadilha como qualquer um.

Um grande amigo – Alan Greenberg, presidente da Bear Stearns, firma de investimentos de Wall Street – diz que sofro do que ele chama jocosamente de síndrome do "é só isso?". O assunto surgiu em uma conversa sobre o meu barco, o *Trump Princess*, considerado o iate particular mais luxuoso do mundo. Eu disse: "Sabe, estou pensando em vender meu barco e, com o lucro, construir outro com quase o dobro do tamanho. O que você acha?".

"Acho que isso é clássico de Donald Trump", Greenberg respondeu.

"É? E o que quer dizer isso?"

"Quer dizer", respondeu ele, "que, para você, alcançar um objetivo não é metade da diversão, é quase toda a diversão. Você resolve obter alguma coisa, consegue o que quer e aí começa a cantar imediatamente aquela velha canção de Peggy Lee, 'Is That All There Is?'."

Alan estava certo. Se você tem uma personalidade batalhadora, o que mais importa é o desafio, não a recompensa. A verdade é que quase nada na vida é aquilo tudo que parece ser – exceto talvez a batalha para chegar aonde se deseja.

Muitas pessoas que se dão bem jamais percebem isso. Chegam ao topo na profissão, seja no *show business*, seja no mercado imobiliário, seja em Wall Street, e então se perguntam por que não estão satisfeitas. Ficam confusas, deprimidas. Usam drogas, se destroem. Isso virou um triste clichê.

Para mim, Chris Evert se destaca como um exemplo brilhante de como o autoconhecimento pode evitar a autodestruição. Lembro que, quando ela parou de jogar tênis, em 1989, não atribuiu a estar ficando para trás ou a querer sossegar e ter filhos. Em vez disso, disse que finalmente havia percebido que a emoção fugaz de erguer o troféu de Wimbledon ou do Aberto dos Estados Unidos e posar para os fotógrafos não valia mais o tremendo esforço exigido para chegar lá. Em vez de tentar imaginar o porquê, ela apenas aceitou o fato de que na realidade não havia "chegado lá" como imaginava que aconteceria se conseguisse ganhar aqueles prêmios. Então, de modo sábio e sem remorso, Chris Evert foi em frente, rumo a novos desafios com um novo marido maravilhoso, Andy Mill.

Estar sempre em movimento rumo a uma nova meta – se essa não é a chave da felicidade, é a chave para o estado mais próximo da felicidade que se consegue nesta vida.

Posso dizer honestamente que nunca sofri de depressão prolongada. Talvez tenha algo a ver com os genes ou com meu estilo de vida, livre de curtições artificiais e, portanto, das baixas artificiais que sempre vêm na sequência. Todavia, creio que também fui auxiliado pela noção de que a vida é uma série de lutas. E não há nada que eu ou qualquer outro possa fazer a respeito. De fato, aprendi a saborear as lutas.

Não faz muito tempo, estive em West Point, percorrendo o local e conversando com alguns militares. A certa altura, nos vimos diante da estátua do general Douglas MacArthur, e não pude deixar de me impressionar com a inscrição, retirada de um discurso dele na academia ao receber o prêmio Sylvanus Thayer, em 1962:

A missão de vocês permanece fixa, determinada, inviolável. É vencer nossas guerras. Qualquer outra coisa na carreira profissional de vocês é apenas corolário dessa dedicação vital. Todos os outros objetivos públicos, todos os outros projetos públicos, todas as outras necessidades públicas, grandes ou pequenas, encontrarão outros que as realizem.

Apenas vencer as guerras. O general estava falando para soldados, é claro, mas senti que o que ele disse também se aplicava a mim. Meu objetivo principal na vida é continuar vencendo. E a razão é simples: se eu não vencer, não travo a próxima batalha.

Ao mesmo tempo, não existem garantias neste mundo.

Mesmo que você continue ganhando, tudo pode acabar de repente, a qualquer momento. Essa verdade chegou com tudo na manhã de 10 de outubro de 1989. Lembro-me da data porque foi o dia em que minha vida mudou.

Começou do jeito mais trivial. Lembro-me de ter olhado pela janela do meu apartamento no 68º andar da Trump Tower e pensado que parecia uma linda manhã de outono. Era terça-feira, e eu me sentia muito bem a caminho do escritório pouco antes das nove. A primeira coisa que fiz foi dar alguns telefonemas. Em seguida despachei rapidamente com meu irmão Robert e meu vice-presidente executivo, Harvey Freeman. Após uns 45 minutos do trabalho de praxe, saí pelas portas de vidro rumo a uma coletiva no Plaza Hotel, do outro lado da Quinta Avenida.

O objetivo da coletiva era divulgar uma luta de campeões no hotel-cassino Trump Plaza em Atlantic City. Como mencionei antes, gosto de boxe – especialmente das grandes lutas glamourosas. Há muito tempo, notei que elas tendem a seguir um padrão. Todas começam com os lutadores naquelas atitudes de macho. Mas no fim a vitória geralmente vai para o cara que luta de um jeito que dificulta que batam nele. Boxe é a arte da autodefesa, e nesse sentido é como fazer negócios. Você cuida da parte de baixo, defendendo-se contra qualquer possível desastre, e a parte de cima na maioria das vezes cuida de si.

O boxe também se tornou muito importante para mim por motivos econômicos. É um esporte que atrai muitos apostadores – o que significa que é bom para os negócios nas mesas de jogo dos meus três hotéis em Atlantic City. Quando promovo uma grande luta entre pesos pesados em um dos meus estabelecimentos, o movimento no cassino pode ser bem maior do que numa noite em que não há luta. No entanto, não sou só eu que sei disso, de modo que organizar uma boa luta hoje em dia envolve fazer negócios espertos com gente da pesada e depois gerenciar o evento de forma cuidadosa, com o resultado financeiro sempre em mente. Há relativamente poucos executivos que conseguem lidar bem com os tipos astutos que habitam o mundo do boxe, mas naquele dia fatídico no Plaza Hotel me sentei no tablado ao lado de três dos melhores: Stephen F. Hyde, Mark Etess e Jonathan Benanav.

Na verdade, recém estava conhecendo Jon, vice-presidente executivo do Trump Plaza, 33 anos de idade, elegante e trabalhador. Mas Steve, que chefiava toda a minha operação em Atlantic City, e Mark, presidente do Taj Mahal, já estavam entre as pessoas mais importantes da minha organização. Embora nenhum deles se encaixasse no conceito hollywoodiano de chefe de hotel-cassino, ambos tinham um conhecimento excelente do negócio, bem como uma percepção quase sobrenatural da minha filosofia pessoal e de como aplicá-la nas negociações em Atlantic City.

Às vezes eu mal podia acreditar na minha sorte em ter esses homens na minha equipe. Mas o fato é que a presença deles pouco tinha a ver com sorte. Eles estavam comigo porque acredito firmemente em observar a concorrência para buscar os melhores talentos. Steve veio do Golden Nugget para a Organização Trump em 1986; antes estivera no Caesars Palace, empresa na qual atuou primeiro em Las Vegas e depois em Atlantic City. Mark cresceu no Grossinger's, famoso *resort* de Catskills de propriedade da família dele, e de lá se destacou no Golden Nugget, pertinho das minhas propriedades na Boardwalk de Atlantic City. Jon, formado na Cornell, trabalhou no Hilton da Filadélfia.

Além de grandes executivos, esses caras eram boas pessoas – três dos homens mais felizes e bem ajustados que já conheci. Steve, de 43 anos, era um mórmon devoto – um cara corpulento, do tipo caseiro, extremamente ativo nos assuntos comunitários. Nascido e criado em Utah, Steve tinha uma esposa encantadora, Donna, e oito filhos. A conversa com ele era fácil, e Steve sabia mais de mim e dos meus pensamentos mais recônditos do que qualquer outro. Muitas vezes, quando eu estava em Atlantic City, me acomodava em um dos grandes sofás de couro no escritório de Steve no Trump Castle para uma conversa que poderia tratar de qualquer coisa, desde o lucro dos caça-níqueis na noite anterior até o que eu deveria fazer da vida dali para a frente. Steve compartilhava um traço com praticamente todos aqueles que lidam bem com outras pessoas: sabia ouvir.

Mark também era um homem de família, dedicado à maravilhosa esposa, Lauren, e aos dois filhos lindos, Scott e Rachel, e ativo em todas as iniciativas de caridade locais. Como Mark era uns cinco anos mais jovem que eu, eu pensava nele como um irmão caçula – mas cujo instinto sobre o ramo hoteleiro eu respeitava imensamente. Até no golfe Mark tinha a pinta de um campeão. Tinha o dom de se dar bem com as pessoas sem esforço, fossem operários da construção, empresários agendando uma convenção em um dos nossos hotéis ou apostadores de peso. Conseguia encantar até um agenciador astuto como Don King – e por isso coloquei Mark no comando de minhas operações de boxe em Atlantic City.

Quanto a Jon, era provavelmente o executivo de hotel mais promissor com quem eu já cruzei. Embora sua formação fosse basicamente na área financeira do negócio, estava se tornando rapidamente o que um dos meus executivos sêniores chamava de nosso "cara de personalidade" do empreendimento: o tipo de rapaz que podia andar pelo cassino e cumprimentar todos os empregados – e muitos dos nossos clientes habituais e mais estimados – pelo primeiro nome. Também era um grande atleta que havia jogado beisebol na faculdade e estrelado o time Trump que competiu na liga dos hotéis de Atlantic City no verão. Jon era noivo de uma outra funcionária do Trump Plaza, Beth McFadden, e planejavam casar em 1990.

* * *

Naquela coletiva de 10 de outubro, Mark, como sempre, transbordava entusiasmo, por causa não só da luta que estávamos promovendo naquele dia, mas também do progresso geral do Taj Mahal e até mesmo do parque de diversões que planejávamos construir em um píer de aço que se projetava oceano adentro. "Não vejo a hora de trazer os brinquedos de volta", lembro-me de ouvi-lo dizer a alguns jornalistas naquela manhã. "Atlantic City perdeu o aspecto familiar faz tempo. Será maravilhoso quando enfim o tivermos de volta."

Será mesmo, mas Mark não estará lá para ver.

Não é justo, mas muito da vida é uma questão de acaso. No meu primeiro livro, escrevi sobre o incidente em que um enorme guindaste caiu em cima de uma garagem de concreto pré-moldado, fazendo a estrutura inteira desabar. Cerca de cem homens tinham deixado o local minutos antes; por isso, não obstante o acidente espetacular, não houve nem sequer ferimentos leves. Dessa vez, a sorte não estava a favor.

A coletiva de imprensa terminou, e voltei ao escritório com meus três amigos para uma rápida reunião. Conversamos mais ou menos uma hora sobre como estávamos indo bem e sobre o progresso da construção do Taj Mahal, na época a seis meses do término. Aí Steve, um dos caras mais trabalhadores que já conheci, disse: "Donald, temos que nos apressar agora. Temos que pegar o helicóptero".

Ergui o olhar despreocupadamente e disse: "Vejo vocês no fim de semana".

Por um instante, quando eles estavam de saída, pensei em acompanhá-los. Eu voava para Atlantic City pelo menos uma vez por semana e sabia que, se fizesse a viagem de 45 minutos no helicóptero com eles, poderíamos continuar falando de negócios. Mas tinha muita coisa para fazer no escritório naquele dia. Com a mesma rapidez com que a ideia surgiu na minha cabeça, decidi não ir. Em vez disso, dei tchau e voltei a ler os relatórios e dar telefonemas.

Cerca de uma hora e meia depois, recebi uma ligação de Jeri Haase, secretária de Steve Hyde havia quinze anos. Ela queria saber onde Steve, Mark e Jon estavam. Havia um carro à espera deles em Bader Field, Atlantic City, e o motorista tinha ligado para avisar que não haviam chegado no horário previsto.

Não dei muita importância ao telefonema. Existem dois aeroportos em Atlantic City, concluí que provavelmente ocorrera alguma confusão e que o problema seria resolvido em seguida. Entretanto, uns dez minutos depois, Jeri telefonou novamente, dizendo que a companhia da qual haviam alugado o helicóptero, a Paramount Aviation, havia ligado para avisar que a aeronave estava em terra, mas não tinham mais dados. Àquela altura, comecei a ficar um pouco apreensivo, mas ainda não excessivamente preocupado. Já tinha ouvido falar de helicópteros que pousam para reparos ou apenas para verificações de segurança e achei que provavelmente fosse esse o caso.

Mas não era. O telefonema seguinte foi do telejornalismo da CBS, uns cinco minutos depois. Agora eu estava preocupado e, antes que o repórter pudesse fazer qualquer pergunta, indaguei se ele tinha notícias da polícia estadual. Ele respondeu em um tom de voz frio, como se já tivesse passado por aquilo antes.

"Cinco mortos, Sr. Trump", disse ele sem rodeios. "Tem algo a declarar?"

"O quê?", perguntei.

"Cinco mortos", ele repetiu. "Todos já ensacados. Algo a declarar?"

Não lembro exatamente o que falei antes de desligar. Depois disso, os telefonemas vieram rápido, e ficamos sabendo de alguns detalhes. O helicóptero tinha caído na estrada Garden State. O piloto e o copiloto, ambos funcionários da Paramount Aviation, morreram no desastre com Jon, Mark e Steve.

Meus primeiros pensamentos foram sobre as famílias que eles deixaram. Também não conseguia deixar de imaginar como haviam sido os últimos segundos dos meus amigos, com a esperança de que tivessem sofrido o mínimo possível. Nos dias seguintes, ao participar dos serviços fúnebres de Steve, Mark e Jon, me senti mais triste do que nunca antes nessa vida – e por vezes extremamente irado também. (Em uma das várias histórias a meu respeito publicadas no final da primavera, um repórter passou a impressão de que eu estava criticando os três pelo trabalho nos cassinos. Deixe-me esclarecer de uma vez por todas. Eles eram bárbaros.)

O helicóptero em que eles embarcaram jamais poderia ter recebido permissão de voo. Foi constatado que os rotores se partiram no ar.

No momento, estamos processando a Agusta, fabricante italiana da aeronave, e esperamos fazê-los pagar muito caro. Mas é claro que, independentemente de quanto ganhemos, Steve, Mark, Jon e os dois pilotos do helicóptero se foram. A tragédia será para sempre o desperdício de cinco jovens vidas.

Mas, depois de muito pensar, creio que exista pelo menos uma verdade valiosa a ser resgatada das mortes de Steve, Mark e Jon. A vida é frágil. Não importa quem você seja, o quanto seja bom no que faz, quantos prédios bonitos construa ou quantas pessoas saibam seu nome. Ninguém está totalmente a salvo nesse mundo, porque nada pode protegê-lo por completo das tragédias da vida e da passagem implacável do tempo.

* * *

Em certos aspectos, a Organização Trump ajustou-se à tragédia de 10 de outubro de 1989. Ed Tracy agora comanda minhas operações em Atlantic City, e Bucky Howard assumiu o posto principal no Taj. Mitchell Etess, irmão de Mark, foi nomeado para um cargo semelhante ao que Jon Benanav ocupava.

A vida em Atlantic City e por toda parte vai seguir em frente. Mas sei que nunca nos ajustaremos por completo à perda. Gostaria que todos na minha organização lembrassem que existiram homens chamados Steve Hyde, Mark Etess e Jon Benanav que trabalharam aqui – que eles eram ótimos e, no fim, nos mostraram como a vida é realmente frágil.

2

O JOGO DA
SOBREVIVÊNCIA

As coisas mais incríveis chegam às minhas mãos todos os dias via correio, fax e mensageiros. Estou falando de buquês de rosas e processos, pedidos de casamento e propostas para investir nos pântanos da Flórida, *cheesecakes* e gambás empalhados. Não faz muito, uma das minhas secretárias abriu um envelope e deparou com uma história datilografada com capricho em um pedaço de papel branco. O texto me fez pensar bastante.

Em 1923, oito dos maiores financistas do mundo encontraram-se em Chicago. O grupo incluía o presidente da maior companhia de gás, o maior especulador de trigo, um membro do gabinete presidencial, o maior baixista de Wall Street, o dirigente do maior monopólio mundial e o presidente do Bank of International Settlement.

Com certeza podiam ser considerados alguns dos homens mais bem-sucedidos do mundo. Pelo menos haviam descoberto o segredo para ganhar dinheiro. Mas agora, mais de sessenta anos depois, onde estão esses homens?

O presidente da maior companhia independente de aço, Charles Schwab, morreu pobre. Nos últimos anos de vida, viveu de dinheiro emprestado.

O presidente da maior companhia de gás, Howard Hopson, enlouqueceu.

O maior especulador de trigo, Arthur Colton, morreu no exterior, insolvente.

O presidente da Bolsa de Valores de Nova York, Richard Whitney, passou um tempo na prisão de Sing Sing.

O membro do gabinete presidencial, Alfred Fall, recebeu indulto e foi liberado da prisão para que pudesse morrer em casa.

O maior baixista de Wall Street, Jesse Livermore, suicidou-se.

O dirigente do maior monopólio mundial, Ivar Kreuger, o Rei dos Fósforos, suicidou-se.

O presidente do Bank of International Settlement matou-se com um tiro.

Turma divertida, não? Todavia, muito típica. A moral dessa triste história é que o sucesso é muito mais difícil de manter do que de se obter.

Se você duvida disso, nunca teve sucesso. Deixe-me ser absolutamente claro: este capítulo não tem nada de lamúria. Todo mundo conhece as vantagens da riqueza e da fama – por exemplo, teoricamente posso ir a qualquer lugar e fazer o que quiser. O problema é que, na realidade, a vida no topo acarreta pouquíssima liberdade. Não posso mais andar pela Quinta Avenida sem ser assediado. Não posso ir ao cinema sem mandar dois seguranças ficarem no meu lugar até as luzes se apagarem e eu poder entrar discretamente. E o simples prazer de assistir ao Aberto de Tênis dos Estados Unidos em Flushing Meadows, sentar e ver os profissionais jogar – este provavelmente já era para sempre.

É claro que ser famoso pode acarretar problemas muito piores – pergunte a Ethel Kennedy ou Jackie Onassis. E mesmo aqueles que sobrevivem fisicamente muitas vezes ficam mental e emocionalmente incapacitados pelo sucesso.

Considere, por exemplo, a carreira de Howard Hughes. Talvez Hughes se destaque como o exemplo clássico de vítima da própria fama e fortuna. Hoje em dia, para muita gente, ele é símbolo da esquisitice; provavelmente está fadado a ser lembrado como o cara das unhas compridas e cabelo desgrenhado. É lamentável, pois se trata de um cara que antigamente era bonito como um astro de cinema, bilionário confirmado e gênio em várias áreas.

Hughes tinha tudo e, a julgar pelo número de ex-namoradas lindas que ainda escrevem livros sobre ele, parece que, pelo menos por um tempo, viveu a vida a milhão. Todavia, a pressão de ser uma figura monumental era aparentemente tão assombrosa que pouco a pouco o deixou louco. Hughes – o homem que revolucionou Las

Vegas ao aplicar uma abordagem corporativa no que era um negócio dominado pela máfia – no fim relutava em se aventurar fora dos limites da sua cobertura. Degenerou em uma criatura totalmente reclusa que, no fim da vida, se recusava até mesmo a se defender em processos desprezíveis abertos contra ele.

Para mim, a história de Howard Hughes é fascinante porque mostra que é possível cair muito rápido, muito rápido. À medida que o tempo passa, me pego pensando mais e mais em Hughes e até me identificando com ele em certa medida. Veja, por exemplo, sua famosa aversão a germes. Embora com certeza eu não seja tão fanático quanto ele, sempre tive um forte apreço por limpeza. Lavo as mãos constantemente e não ficaria chateado se nunca mais tivesse de apertar a mão de um estranho bem-intencionado. No entanto, devido à vida que levo e à necessidade de visitar minhas várias propriedades, muitas vezes acabo numa situação desconfortável. Sempre que estou em Atlantic City, os frequentadores do cassino se aproximam e me tocam para ter sorte, e às vezes sou abordado em restaurantes por pessoas gentis que parecem não se dar conta de que estão pulverizando seus votos de felicidade em cima da minha comida. Sempre que isso acontece, Howard Hughes e seu estilo de vida recluso me parecem um pouco menos malucos.

Hughes estava profundamente envolvido com drogas, é claro. Mas drogas, creio, são apenas um sintoma dos problemas que vêm com um grande sucesso. Pelo que tenho visto, é a fama que deforma as pessoas. Na verdade, quanto mais gente famosa conheço, mais percebo que a fama é uma espécie de droga – uma droga poderosa demais para a maioria das pessoas.

Nunca me esquecerei da ocasião em que eu e Ivana estávamos em Monte Carlo anos atrás e recebemos um telefonema de Frank Sinatra no quarto do hotel. Fiquei um tanto surpreso, pois mal conhecia Sinatra, mas ele disse que estava lá com a esposa e nos convidou para jantar com mais um outro casal (o ator Roger Moore e a esposa) no excelente restaurante no topo do Hotel de Paris. Aceitei.

Fui muito rapidamente da surpresa ao choque. Desde o instante em que nos sentamos à mesa, Sinatra pareceu irritadiço. No início do jantar, sua esposa, Barbara, fez uma leve crítica a Ronald Reagan. Foi um comentário tão insignificante que nem lembro o teor. Mas Sinatra explodiu, usando o pior linguajar imaginável. "Seu lixo humano", disse ele a Barbara a certa altura. Em seguida, para que as outras mulheres da mesa não se sentissem negligenciadas, acrescentou: "Vocês putas escrotas são todas iguais. Vocês são a escória do mundo".

O restante de nós simplesmente fixou o olhar no próprio prato e fingiu que nada estava acontecendo. Tudo o que eu conseguia pensar em dizer era: "Então, Ivana, como está a sua massa?".

Quando veio a sobremesa, a fúria de Sinatra parecia ter abrandado, e achei que o pior já tinha passado. Mas então, quando estávamos saindo, um jovem casal que chegava veio em nossa direção. Ao ver Sinatra, ambos ficaram obviamente nervosos e encantados por avistar seu maior ídolo.

"Sr. Sinatra", disse o homem, "minha mulher e eu o adoramos. Poderia nos dar um autógrafo?"

Virei para Frank e vi sangue nos olhos dele. "Tirem este vagabundo daqui!", gritou para um dos seus seguranças que estava por perto. "Tirem esse maldito traste daqui!"

Nem é preciso dizer que o pobre cara e sua esposa ficaram totalmente arrasados. Afastaram-se sem saber bem o que tinha acontecido.

Quanto a nós, entramos no elevador rumo ao saguão do hotel – menos Sinatra, que apertou rapidamente o botão do segundo andar. "Não posso andar em saguões de hotel", resmungou. "Sou assediado."

Enquanto Sinatra saía do elevador rumo à porta da escada de incêndio, percebi que todos aqueles anos de paparicos e cuidados – e também de pressão, olhares atentos e críticas – haviam sem dúvida cobrado seu preço. Apesar dos milhões de dólares e incontáveis fãs fiéis, o fardo de ser uma celebridade estava fazendo Sinatra vergar.

O jantar acabou se transformando em uma experiência terrivelmente embaraçosa, mas me deu muito em que pensar.

É claro que você não tem de ser louco ou cruel só porque tem sucesso.

Uma pessoa que admiro imensamente pela forma como lida com toda a atenção é Bob Hope. Ele causa comoção aonde quer que vá, e isso há mais de sessenta anos, mas a essa altura Bob já tornou o controle de multidões uma ciência. Eu o observei atravessar um saguão lotado e reparei que ele anda sempre o mais rápido possível, assinando tudo que é papel que colocam na sua frente, mas sem parar de andar. Aí, sorrindo e acenando, entra no elevador, a porta se fecha, e lá se vai. Na saída a mesma coisa – passadas, autógrafos, sorriso e carro. Todos ficam felizes e ninguém se sente negligenciado. E Bob segue a vida. Talvez seja por isso que é tão famoso há tanto tempo e tão saudável e robusto aos oitenta e tantos anos.

Outras celebridades, porém, parecem estar sempre lutando para nadar contra a corrente em público. Johnny Carson, por exemplo, enfim se viu forçado a vender seu apartamento na Trump Tower para escapar da comoção que causava só por entrar e sair pela portaria residencial. Ele tem um enorme talento, mas é tão reservado que doía vê-lo tentar lidar com as multidões de adoradores.

De fato, o verdadeiro problema para os que atingiram certo nível de fama e sucesso não são as pessoas com cadernos de autógrafos e mãos estendidas. Na maioria das vezes, é a imprensa. Sei que o verdadeiro perigo ao se criticar a imprensa é que ela tem a última palavra sobre tudo em que eu esteja envolvido, pessoal e profissionalmente, inclusive este livro. Para ser franco, não ligo. A imprensa não construiu a Trump Tower nem o Taj Mahal. Os repórteres não se arriscam. E o público parece entender isso.

Devo dizer que ao longo dos anos verifiquei que a maioria dos repórteres é imparcial e honesta, mesmo que não estejam exatamente do meu lado nos artigos e programas de TV veiculados. Mas há exceções suficientes à regra, principalmente desde que me separei de Ivana, para qualquer contato com a imprensa ser potencialmente frustrante e às vezes perigoso.

Por exemplo, não sei quantas vezes ouvi a história da carochinha de que coloquei meu primeiro livro na lista dos *best-sellers* comprando milhares de exemplares e guardando-os em um depósito em algum lugar. Isso é um absurdo – uma completa mentira. Para compilar sua lista, o *New York Times* verifica as vendas em determinadas livrarias espalhadas por Nova York ou pelo país – não sei nem quais; ninguém que não seja do *Times* sabe. A questão é que qualquer um que quisesse manipular a lista teria de comprar todos os livros em todas as livrarias que encontrasse e esperar ter ido aos lugares certos. Fazer isso seria impossível, e a simples tentativa exigiria um desejo ardente de torrar dinheiro e tempo. Comprei alguns milhares de livros em certa ocasião, mas por atacado, e quase todos foram revendidos a clientes nos meus hotéis de Atlantic City e na Trump Tower.

A propósito, muitos escritores também se referiram à *Arte da negociação* como o livro de Donald Trump que teve "críticas ruins". Isso também me chateou um monte, já que a maioria esmagadora das resenhas, do *New York Times* para baixo, foi positiva.

Outro mito que circulou foi que levei bola preta no Bath and Tennis Club de Palm Beach, na Flórida. Lembro-me de sintonizar o programa *Today* certa manhã e ver uma mulher terrível contando com grande presunção e certeza que eu tinha tentado ser admitido pelo clube (que fica em frente à minha casa em Palm Beach) e havia sido rejeitado pelo pessoal supostamente esnobe e rico de berço de lá. "Sabe", disse ela, obviamente encantada consigo mesma, "aquele clube é muito fechado para pessoas como Donald Trump." Não pude acreditar no que ouvi. O relato não apenas era uma inverdade, era também o exato oposto da realidade. Muitos membros daquele clube insistiram para que eu me associasse, mas recusei o convite. (A parte interessante da notícia é que a apresentadora era judia e, portanto, não teria permissão para visitar o clube, muito menos tornar-se membro – uma das reservas que eu tinha em relação ao local.)

No início da minha carreira, eu era ingênuo a respeito de como as coisas funcionavam com alguns repórteres. Quando um cara chamado Wayne Barrett ligou anos atrás e disse que era do *Village Voice* e queria escrever um artigo sobre mim, concordei sem hesitar. Sabia que o *Village Voice* não era exatamente lotado de ganhadores do Prêmio Pulitzer nem um dos jornais mais respeitados do país, mas àquela altura haviam escrito muito pouco sobre mim, e vi uma oportunidade de promover o Grand Hyatt Hotel, o centro de convenções e vários outros projetos em que estava trabalhando na época.

Convidei Barrett ao meu escritório e apartamento e conversei com ele de maneira franca e detalhada. Fui 100% honesto com ele, o que foi fácil, já que não tinha nada a esconder. E ele ficou sentado lá, agindo da forma mais agradável possível, fazendo perguntas e gravando tudo.

Você poderia pensar: o que poderia dar errado nesse tipo de situação? A resposta é: quase tudo.

Logo depois, apareci na capa do *Voice*, tema de um artigo perverso em que quase toda citação foi alterada ou incrivelmente descontextualizada. A publicação da história foi bem frustrante. Mas aí os promotores públicos federais começaram a examinar as afirmações de Barrett sobre minhas práticas empresariais. Logo concluíram que não havia um caso, e a coisa foi encerrada antes que eu, na minha inocência, entendesse direito o que exatamente estava acontecendo. Olhando para trás, contudo, fico feliz por ter tido a experiência, pois aprendi que, tão logo você atinge uma posição levemente proeminente na vida, as pessoas tentam fazer um nome derrubando você. Barrett, cujo último livro foi um enorme fracasso, ainda está tentando fazer nome à minha custa. Ouvi dizer que está escrevendo um livro sobre mim. A boa notícia para mim é que ele nunca foi um escritor que conseguisse capturar e prender o interesse de ninguém.

Algumas vezes os ataques jornalísticos pouco têm a ver com a busca da verdade. São vinganças pessoais disfarçadas de reportagens objetivas. A reportagem de capa da revista *Forbes* sobre mim na edição de 14 de maio de 1990 é um desses casos. "Quanto vale Donald Trump?", perguntava a manchete. A resposta, de acordo com a *Forbes*, era cerca de US$ 500 milhões – muito menos que o US$ 1,7 bilhão que a revista havia dito que eu valia no ano anterior. A história me retratou como um empresário acossado, que se mantinha basicamente à base de audácia. Realmente tenho muita audácia, e não há dúvida de que meus interesses financeiros, como os de quase todo mundo em uma economia ruim, estavam passando por um período de tensão, mas, tirando isso, o artigo estava intencionalmente errado.

A fim de produzir uma história que vendesse revistas – e prejudicasse minha reputação (algo que a família Forbes queria desesperadamente, por motivos que já explicarei) –, a *Forbes*, na minha opinião, avaliou por baixo propriedades minhas como, entre outras, o Plaza Hotel, a empresa aérea Trump Shuttle e 78 acres de terra no Upper West Side de Manhattan. Quem pode dizer o quanto esses bens singulares valem até que sejam colocados no mercado? Com certeza não um repórter medíocre da *Forbes* chamado Richard Stern, embora a revista não hesite em atribuir valores específicos em dólares aos bens das pessoas e depois fazer afirmações e tirar conclusões com base nos números sem sentido que produz. No entanto, o pior erro de cálculo da *Forbes* foi quando avaliou o custo da construção e operação do Taj Mahal em Atlantic City.

A história em si teria sido danosa o bastante, mas o que piorou a situação foi que deflagrou uma avalanche de publicidade negativa. A imprensa adorou a ideia de que Trump não era mais um bilionário. Foi depois desse artigo da *Forbes* que todos os tipos de autoproclamados especialistas começaram a dizer e escrever que tudo estava acabado para Donald Trump e que eu já era, como os anos 1980. Liz Smith, uma colunista do *Daily News* de Nova York que puxava tanto meu saco que era embaraçoso, pervertia tudo que eu fazia ou dizia (embora sempre pusesse Ivana nas alturas, o que para mim estava ótimo).

Sempre me surpreendeu que as pessoas prestem tanta atenção na revista *Forbes*. Todo ano publicam a "Forbes 400", e as pessoas falam como se fosse uma compilação das pessoas mais ricas dos Estados Unidos elaborada com rigor científico, em vez do que realmente é: uma estimativa desleixada e altamente arbitrária do patrimônio líquido de determinadas pessoas. Com frequência, sua classificação na lista dependia muito de como andava sua amizade pessoal com o editor, o falecido Malcolm Forbes.

Malcolm Forbes e eu não tínhamos um bom relacionamento. Embora tenha me convidado, não fui a sua badalada festa de 70 anos no Marrocos, em 1989. Durante uma época, Malcolm e eu fomos amigos, tínhamos conversas amistosas nas festas e às vezes falávamos por telefone. Mas aos poucos passei a vê-lo como um hipócrita que oferecia vantagens aos que anunciavam na sua revista e tentava, com maldade surpreendente, punir os que não o faziam. Também via um padrão duplo na forma como ele vivia abertamente como homossexual – o que tinha todo o direito de fazer –, mas esperava que a imprensa e seus amigos famosos o acobertassem. Malcolm e a família Forbes sem dúvida sentiram minha frieza com relação a eles, por isso – e também porque nunca anunciei muito na *Forbes* – não eram grandes admiradores de Donald Trump. Em retrospecto, posso ver que era apenas uma questão de tempo até a família começar a usar a revista contra mim.

O primeiro vislumbre que tive da verdadeira natureza de Malcolm foi há alguns anos, quando enfim cedi à sua bajulação e publiquei um anúncio na revista. Era uma propaganda simples em preto e branco, informando que havia alguns apartamentos à venda em um dos meus prédios em Nova York – o tipo de anúncio que se costuma ver na última página. Mas Malcolm colocou-o em destaque na primeira página direita, para que fosse visto logo que se abrisse a revista. Um dia depois da publicação, ligou para perguntar se eu estava feliz com a localização do anúncio. Naturalmente eu disse que sim, mas pensei comigo que não gostava da forma como ele fazia negócios. Malcolm estava sendo bonzinho demais – tentando fazer com que eu sentisse que devia algo a ele. Por exemplo, outro anúncio. Em vez de tirá-lo de cima de mim, estava apenas me colocando na mira para mais conversa de vendedor dele, e não gostei.

Ainda assim, meus problemas sérios com Malcolm só começaram quando comprei o magnífico iate de Adnan Khashoggi, o *Nabila*, e rebatizei de *Trump Princess*. Durante anos Malcolm teve um iate chamado *Highlander*, do qual tinha muito orgulho. Usava o barco para festas que pretendia que fossem glamourosas e repletas de celebridades, mas que na realidade eram acima de tudo ocasiões para impressionar possíveis anunciantes. Malcolm também levava muitos jornalistas, apresentadores e fotógrafos para passear no iate. Por isso, tornou-se o queridinho da imprensa de Nova York, e seu iate de 150 pés era legendário – até eu aparecer com um muito mais luxuoso, de 282 pés, e roubar os holofotes.

No entanto, o que realmente arruinou nossa amizade foi um incidente pouco tempo antes de Forbes morrer, envolvendo dois de seus jovens acompanhantes masculinos. Estava trabalhando no meu escritório no final de uma tarde quando recebi uma ligação de um dos meus funcionários do Plaza Hotel. O homem disse que Malcolm queria entrar no Oak Room Bar com dois jovens que pareciam bem abaixo da idade legal para beber. Geralmente meus funcionários pedem às pessoas que parecem menores de idade para que sentem em uma mesa caso queiram tomar um refrigerante. Como meu funcionário havia reconhecido Forbes e sabia que éramos conhecidos, hesitou e decidiu me ligar para mais instruções.

Não precisei pensar muito. "Por favor, convença com delicadeza o Sr. Forbes de que seria melhor ir para outro ambiente, como a Palm Court", eu disse. Na minha opinião, não havia muito motivo para discutir, pois estávamos falando de obedecer a leis estaduais sobre bebidas alcoólicas. Malcolm, no entanto, ficou indignado por não receber um tratamento especial. No dia seguinte, ligou e gritou comigo, dizendo que eu o tratara de modo injusto e humilhara em público – e que daria o troco. Talvez meu funcionário pudesse ter sido mais diplomático, mas estou certo de que fez a coisa certa.

Semanas depois, soube que a revista *Forbes* estava planejando uma reportagem de capa comigo e que um dos repórteres encarregados do projeto era um homem chamado Richard Stern. Alguns anos antes, Stern havia escrito um artigo sobre minha negociação da Resorts International com Merv Griffin. Foi um texto muitíssimo impreciso, baseado na premissa de que Merv tinha levado a melhor sobre mim. Quando o tempo provou que Stern estava errado, e Merv pediu concordata, Malcolm declarou-se mortificado com a história e me pediu desculpas em mais de uma ocasião. Mas agora eu era confrontado de novo com Richard Stern, um repórter de comprovada visão anti-Trump. (O coautor, John J. Connolly, foi demitido por Forbes semanas depois, quando veio à luz que ele havia violado normas éticas em várias ocasiões. O próprio Stern foi acusado de impropriedades em um boletim de Wall Street.)

Quando aquela reportagem de capa da *Forbes* foi publicada, olhei as estimativas injustas sobre meus bens e a omissão da renda do Taj Mahal e balancei a cabeça. Aquilo não era jornalismo, pensei comigo, era Malcolm enfim se vingando do além-túmulo com a ajuda da família, especialmente do filho Steve.

(Algumas pessoas começaram a dizer até mesmo que eu arquitetara a reportagem da *Forbes* como forma de negociar um divórcio melhor com Ivana. Pensando bem, não teria sido uma má ideia.)

Ser matéria de capa da revista *Time* – embora sob certos aspectos pareça a prova definitiva de que você se deu bem na vida – foi uma experiência quase igualmente desprezível.

Jamais esquecerei como o processo começou. Certo dia, em 1988, recebi um telefonema de um repórter da *Time*, perguntando se me importava que fizessem uma reportagem de capa comigo. Na mesma hora me pareceu estranho pedirem minha permissão. Que tipo de organização jornalística agressiva, indaguei, daria a alguém a opção de publicar uma reportagem sobre ele? Mas guardei a pergunta para mim e disse: "Se é isso que vocês querem, vão em frente". Apesar dos meus escrúpulos iniciais, pareceu uma honra ser retratado em reportagem de capa da *Time* naquele estágio inicial da minha vida.

A repórter da *Time* que apareceu para me entrevistar foi uma mulher que obviamente se considerava uma matadora de homens em mais de um sentido. Fiquei lá sentado, em estado de incredulidade, enquanto essa mulher muito ordinária adentrou meu escritório como Marilyn Monroe, sentou-se e na mesma hora deslanchou na história do divórcio confuso pelo qual estava passando. Falando do marido, lembro que ela disse algo do tipo: "Vou terminar arrancando o coração dele". Ela tinha um sorriso no rosto enquanto falava, mas era nitidamente uma mulher fervendo de hostilidade. Tudo o que eu conseguia pensar enquanto sorria de volta era: "Oh, maravilha, uma mulher que arranca corações de homens vai escrever sobre mim na *Time*".

No final das contas, não foi ela que escreveu. A revista *Time* tem um sistema ridículo, no qual certas pessoas fazem as entrevistas e depois a história é escrita por alguém da redação que nem chega a conhecer as pessoas sobre as quais escreve. Para mim não faz o menor sentido. Posso entender esse sistema se você está cobrindo, por exemplo, uma notícia de última hora no Oriente Médio ou um acontecimento em várias partes dos Estados Unidos. Mas era o perfil de uma pessoa, e o prédio da Time & Life fica a uns dez minutos de caminhada da Trump Tower. Nunca entenderei por que o redator não pôde vir encontrar-se comigo durante os vários meses que a *Time* demorou para montar a reportagem.

De qualquer maneira, a repórter com certeza tinha energia para queimar. Jeannie McDowell andava à minha volta constantemente, em Nova York e Atlantic City; quando não estava comigo, estava tentando rastrear todo mundo com quem troquei apertos de mão nos últimos trinta anos. Os repórteres que já me entrevistaram sabem que sou da escola do "pode tudo". Não tenho nada a esconder e para mim não tem pergunta proibida. Na época eu também acreditava que era melhor dar uma entrevista do que se manter inacessível, pois assim pelo menos você teria a chance de passar sua mensagem. (Não acredito mais nisso. Fui queimado inúmeras vezes por repórteres que têm algo a defender e defendem – à minha custa –, não importa o que eu diga.)

Enfim, com frequência eu ficava desconfiado quando conversava com Jeannie McDowell. Havia algo no tom das perguntas que me soava estranho. Em vez de extrair informações, muitas vezes ela parecia decidida a incitar problemas por motivos que, pelo que eu podia ver, não tinham nada a ver com seu artigo.

A colega dela trabalhava da mesma maneira. Um dia, apareceu no escritório de minha irmã Maryanne, que é juíza federal em New Jersey. "Que tal é", perguntou a Maryanne, "ganhar um salário de funcionária federal enquanto seu irmão mora em mansões?" Ora, acontece que minha irmã não tem do que reclamar. Antes de seu filho nascer, graduou-se em administração pública. Quando David foi para a sexta série, ela foi para a faculdade de direito, e hoje em dia é uma das juízas federais mais respeitadas do país. Maryanne, a seu modo, explicou isso à repórter. "Veja, Donald tem a vida dele, eu tenho a minha, e não há problemas entre nós", disse ela. Mas a mulher da *Time* foi implacável. "E como é voar pela Eastern, enquanto seu irmão possui avião particular?", perguntou a Maryanne, voltando ao mesmo terreno e sempre com um toque de sarcasmo. O que ela estava fazendo, pareceu a Maryanne e mais tarde a mim, era tentar semear discórdia entre os membros da família, só Deus sabe por quê.

Enquanto os repórteres da *Time* zanzavam por aí, conduzindo entrevistas desse tipo, recebi um telefonema de um homem chamado Robert Miller. Nunca tinha ouvido falar nele, mas disse ser o editor da *Time* e me cumprimentou por ter sido escolhido como reportagem de capa. Continuou dizendo que, como eu estaria na capa, ele gostaria de oferecer uma festa em minha homenagem no Le Cirque, um dos restaurantes mais finos de Nova York. Talvez comparecessem cem pessoas, disse ele, e perguntou se, durante a festa, eu poderia falar aos convidados.

Como várias outras coisas que já tinha ouvido do pessoal da *Time*, essa também não me agradou. Em primeiro lugar, não gosto de festas, da conversa fiada e daquela coisa de ficar circulando que fazem parte. E não aprecio fazer discursos às onze da noite. Mas, nesse caso, dar uma festa para a pessoa tema de um perfil ainda não publicado, na minha opinião, não combinava com jornalismo objetivo.

"Diga-me", perguntei ao Sr. Miller, "vocês deram uma festa para Kadafi quando colocaram ele na capa? Foram ao Le Cirque com o aiatolá? Olha", continuei, "se vão fazer uma reportagem de capa, façam uma reportagem de capa; se não, podem esquecer tudo. Mas vocês não têm que me homenagear."

Todavia, ele insistiu. "Por favor, Donald", pediu. "Fazemos isso com as pessoas da capa e convidamos vários dignitários de Nova York, líderes no campo dos negócios, política e educação, por que você não viria?"

Acho que eu considerava bastante a reputação da *Time*, apesar das minhas experiências com seu pessoal, de forma que cedi e concordei em aparecer. Deveria ter seguido minha intuição. Mal botei os pés na porta do Le Cirque, Miller me agarrou e disse: "Gostaria que conhecesse o chefe da divisão Buick da General Motors". E depois: "Donald, dê um alô para o chefe da Volvo da América". A seguir: "Por favor, venha conhecer o Sr. Colgate-Palmolive".

Depois de mais uma ou duas apresentações, ficou claro o que estava acontecendo, e puxei Miller para um canto. Eu estava calmo, mas fui incisivo. "Percebi que o verdadeiro objetivo disso aqui é me colocar em contato com seus anunciantes", falei. "Olha, posso entender seu desejo de fazer isso e com certeza eu não descartaria falar com eles. Mas deve me dizer por que estou aqui, e não falar que é apenas uma homenagem por ser capa da *Time*."

Miller me encheu de desculpas e explicações. Acho que ficou com medo de que eu fosse embora. Entretanto, em vez de fazer uma cena, fiquei – e acabei discursando. Em algumas noites, você está com tudo em cima, noutras não; naquela noite, apesar das circunstâncias agravantes, tudo se encaixou, e era quase meia-noite quando terminei de responder às muitas perguntas do público.

Como as coisas foram tão bem, consegui minha revanche mais tarde. O que aconteceu foi que alguns editores da *Newsweek* ouviram falar do jantar – e da história da *Time* – e me ligaram imediatamente para marcar uma série de entrevistas. Umas duas semanas depois, enquanto a *Time* ainda estava se enrolando, a *Newsweek* publicou reportagem de capa sobre mim.

Nem tudo na matéria foi lisonjeador ou positivo, mas devo admitir que a história era interessante, basicamente precisa e bastante justa. Fiquei feliz por ter dedicado tempo às entrevistas com seus autores, Bill Powell e Peter McKillop. Ao contrário dos repórteres da *Time*, eles pareciam preparados para ir adiante, quer eu cooperasse ou não. Sei que a *Newsweek* também gostou da matéria.

A história da *Time* finalmente saiu uns meses depois – logo após os números das vendas mostrarem que a reportagem de capa da *Newsweek* tinha sido um enorme sucesso, uma das edições de melhor vendagem nos últimos anos. (Minha força nas bancas de jornais foi uma faca de dois gumes. Assim que tive uns problemas, a *Newsweek* – com os anúncios em queda – aproveitou a onda e me colocou na capa de novo, com a matéria mais sórdida de todas.)

Quando li o que a *Time* publicou, só consegui balançar a cabeça, incrédulo. Devo dizer que, desde a época desse incidente, desenvolvi grande respeito por alguns dos altos executivos do que é hoje a Time Warner. Mas a reportagem de capa que enfim foi publicada, embora dificilmente seja a pior coisa escrita a meu respeito, foi sarcástica, descuidada e imprecisa – um texto muito cansativo, que dava a sensação de ter sido cometido de última hora, apesar dos vários meses de preparo. Jeannie McDowell era, como eu havia imaginado, um verdadeiro desastre.

Mesmo assim, era a *Time*, e, quando minha foto apareceu na capa, as pessoas ligaram para me cumprimentar e perguntar que tal era receber a homenagem.

"Oh, é bacana", eu respondia, só para ser gentil.

A verdade é que não era grande coisa. Lá estava eu, em todas as bancas de jornal dos Estados Unidos, com um ás de ouros na mão. Mas tudo o que eu ouvia em minha mente mais uma vez era Peggy Lee cantando "Is That All There Is?".

A imprensa, infelizmente, é um dos elementos com os quais tenho que lidar.

O que me incomoda igualmente é a forma como o sistema judiciário criminal incentiva as piores espécies de gente baixa a jogar lama nos outros para se proteger. Quanto mais proeminente o seu nome, mais tentador como alvo para alguém tentando reduzir a pena pela admissão de culpa ou obter imunidade. Tudo o que alguns criminosos condenados precisam fazer é dizer as palavras "Donald Trump" ou citar alguma outra celebridade, e certos agentes da lei e repórteres começam a sonhar com um caso ou reportagem para fazer carreira.

Algum tempo atrás, agentes do governo vieram a meu escritório falar sobre um cara que eu só conhecia de reputação. "É verdade, Sr. Trump", perguntaram, "que em determinada data, há três anos, o senhor se encontrou com esse homem na Quinta Avenida?"

Minha primeira reação foi negar, pois achava que não. Mas aí me lembrei vagamente de que essa pessoa de fato havia me abordado um dia na Quinta Avenida, anos antes, gritando: "Donald Trump, Donald Trump, como vai?".

"Sim, agora que vocês mencionaram, lembro-me de ele me abordar", disse aos agentes.

"E discutiram tal e tal negócio na ocasião?", perguntaram. "E você disse isso, e ele falou aquilo?"

Ao que parece, aquele cara tinha inventado uma conversa detalhada que me implicava em algum esquema. Tudo o que aconteceu na verdade foi que o homem se aproximou, apertou minha mão e seguiu caminho. Não o havia visto antes e nunca mais vi desde então.

Falei isso para os agentes, que eram profissionais de verdade e viram que eu estava sendo sincero. "Não tem problema. Tínhamos que averiguar para fazer uma investigação completa", disseram. "Ouvimos esse tipo de coisa desses vigaristas o tempo todo e presumimos que 99% é lixo em benefício próprio."

É bom saber isso. Por outro lado, não é lá muito confortante perceber que mentirosos profissionais estão sempre tentando usar você e que seu destino muitas vezes está nas mãos de um agente federal ou estadual.

Felizmente, sou abençoado com uma espécie de intuição sobre as pessoas que me permite sentir quem é canalha e ficar bem longe. Por exemplo, antes de Ivan Boesky ser condenado à prisão pelo uso de informação privilegiada, ele e a esposa me contataram para alugar um espaço para escritórios na Trump Tower. Só de conversar com Boesky tive uma sensação estranha em relação ao caráter dele, ou melhor, à falta de, e disse que infelizmente não tinha áreas para escritório.

* * *

É ótimo ter instinto natural, mas, mesmo assim, você pode descobrir que isso não basta. Ao longo dos anos, criei certas regras importantes – e em alguns casos vitais – para sobreviver aos perigos do sucesso.

A primeira e mais importante de todas é: **seja disciplinado**.

Disciplina é algo que aprendi observando meu pai, Fred Trump, o tipo de homem que mantém o rumo nos bons e maus momentos. Essa é a chave para permanecer no topo. Significa ir para o trabalho todas as manhãs (como meu pai ainda faz) e fazer constantemente as coisas que você sabe que vão dar resultado. Você vai em frente, depois avança um pouco mais e nunca deixa seus adversários verem-no preocupado. Férias longas, bebidas, drogas – todas essas coisas são ruins para a disciplina, pois interrompem o ímpeto.

E, pensando bem, sobreviver no topo é basicamente uma questão de ímpeto.

Minha regra seguinte é: **seja honesto** – mesmo que o mundo em volta muitas vezes seja desonesto.

Apesar de minha abordagem ousada e por vezes arrogante, eu sigo as regras. Confiro os mínimos detalhes quando se trata de negociar com a Comissão de Planejamento de Nova York, a Comissão de Controle de Cassinos de New Jersey, a Comissão de Valores Mobiliários ou a Receita Federal. Posso ser o chefe de uma grande organização, mas, se um órgão do governo anuncia que lançou um novo formulário, provavelmente vou parar o que estiver fazendo e pedir às pessoas que comecem a preenchê-lo em três vias.

Faço isso porque sou uma pessoa organizada por natureza e porque fui educado para fazer sempre a coisa certa. Mas, mesmo que não fosse esse o caso, há motivos práticos para eu permanecer honesto. A esta altura, dinheiro algum que eu pudesse ganhar com trapaça justificaria o risco de perder tudo pelo que trabalhei em minha carreira. Meu nome e minha reputação são muito importantes para mim.

Trata-se de ser incrivelmente vigilante. Se um contador subalterno da minha organização faz um ajuste impróprio nos registros, por ignorância ou por estar sendo excessivamente agressivo, sou eu que terei de enfrentar a manchete "Donald Trump comete fraude". Se um empreiteiro que contratei viola uma lei ou cria perturbação desnecessária enquanto trabalha em algum projeto de construção, o noticiário das onze vai querer um áudio meu dando entrevista sobre "os problemas em um prédio de Trump".

Uma forma com que mantenho o controle das coisas é assinando pessoalmente muitos dos cheques emitidos pela Organização Trump. Obviamente é uma tarefa que consome muito tempo, já que são milhares de cheques por semana. Também é uma prática um tanto arriscada do ponto de vista legal, pois, demonstrando envolvimento pessoal em todos os aspectos da minha organização, estou abrindo mão de uma coisa que alguns executivos chamam de insulamento, ou seja, a capacidade de alegar, se algo der errado, que eu não sabia o que estava acontecendo. Ainda assim, meu histórico ao longo dos anos me assegura que as centenas de canetas com tinta azul gastas assinando cheques não foram em vão.

A regra três é: **não pense que é tão esperto que pode fazer sozinho**.

Tenho um grande ego. Toda pessoa bem-sucedida tem. Ao mesmo tempo, percebo que o número de telefonemas, cartas, presentes e propostas que recebo diariamente se tornou quase esmagador nos últimos anos. O que era um pequeno negócio de família se expandiu para uma organização multibilionária.

Embora me envolva em alguma medida em todos os aspectos dos meus negócios, não poderia dar conta de tudo sozinho mesmo que quisesse, ou pelo menos não conseguiria sobreviver muito tempo assim. Portanto, me cerco de gente boa e me dou ao luxo de confiar nelas. "Gente boa" não significa apenas competente, mas também de caráter e classe.

Nada seria feito em meu escritório se não fosse Norma Foerderer, minha assistente executiva. Norma, que está comigo praticamente desde o começo, trabalhou durante um bom tempo no Serviço de Relações Exteriores norte-americano em Uganda e na Tunísia. Faz um trabalho incrível com a correspondência e os telefonemas – filtrando as indagações malucas ou apenas estranhas, deixando passar as ligações e cartas mais interessantes. Queria que todo mundo que pergunta como minha vida realmente é pudesse passar uma meia hora ao lado da mesa perpetuamente atravancada de Norma, observando-a em ação. Ela é a melhor em manobras sofisticadas.

O que me leva à quarta regra: **esteja disponível**, embora corra o risco de desperdiçar muito tempo.

Recebo tantas cartas e pacotes todos os dias que a entrada do meu escritório às vezes parece a agência central dos correios. Conheço celebridades que entregam tudo para um serviço de correspondência que não faz nada além de mandar fotografias brilhantes 20 x 25 e cartas impressas. Não tenho esse luxo porque, em primeiro lugar, como empresário, o correio é importante para mim.

A negociação do meu iate, o *Trump Princess*, começou com uma carta que recebi do nada de um corretor de barcos de luxo de Londres. E não faz muito tempo, um dos principais construtores do Japão escreveu sugerindo um projeto para construção de uma Trump Tower no Extremo Oriente, oferendo muitos milhões de dólares apenas pelo uso do nome. Tenho certeza de que essas duas pessoas ficariam desconcertadas se recebessem minha foto sorridente e uma carta de "Caro fã" em resposta às suas propostas. Por último, o principal motivo para eu não ignorar quem me escreve cartas é que a vasta maioria é gente boa e merece uma resposta atenciosa.

Também é o caso dos produtores de programas de TV e das pessoas que me contatam para que eu fale a vários grupos. Essa é outra área que, à medida que a demanda pelo meu tempo aumentou, deixei amplamente aos cuidados de Norma. Embora fique longos dias e muitas noites no escritório, Norma tem uma excelente noção de quais programas de entrevistas na TV têm grande audiência e quais os outros que, embora não atraiam as massas, têm prestígio e valem meu tempo. Ela também sabe que há certos grupos e organizações que muito me interessam e pelos quais mudaria prontamente minha agenda. Por exemplo, se me forçassem a escolher, eu participaria de uma reunião para cinquenta agentes do FBI ou veteranos do Vietnã em vez de ir a um programa de TV que seria assistido por cinquenta milhões de pessoas.

A regra número cinco é: **fique perto de casa**.

É uma verdade simples, mas muito valiosa, reconhecer que o mundo não muda de repente quando você chega ao sucesso. O que o leva ao topo em geral é o que vai mantê-lo lá, e pouquíssimas pessoas chegam lá sem dar duro por muitas horas todos os dias. Em geral, minha filosofia é ficar o mais próximo possível de casa. Viajar consome tempo e, na minha opinião, é chato – especialmente se comparado com o quanto me divirto fazendo negócios no meu escritório. Nunca conseguirei entender as pessoas que dizem que, se tivessem muito dinheiro, passariam o tempo todo viajando. Isso não é para mim.

Visitei o Brasil recentemente. Algumas pessoas importantes da minha organização me persuadiram a ir lá para conferir alguns possíveis investimentos e presidir uma corrida de cavalos patrocinada pelo Trump Plaza Hotel no Jóquei Clube do Rio de Janeiro. Não estava particularmente a fim de ir, mas há algumas pessoas ricas no Brasil que se tornaram amigas e clientes valiosos dos meus cassinos de Atlantic City, e meus executivos do setor sabiam que seria bom eu manter contato com elas. Como em todas as relações, o contato pessoal muitas vezes faz toda a diferença.

Achei o Brasil um país lindo, ainda que economicamente problemático. E fiquei surpreso e encantado ao ver crianças correrem até mim com lápis e papel na mão gritando: "Sr. Trump, Sr. Trump". Meu primeiro livro foi *best-seller* lá, e a recepção que tive não poderia ser mais calorosa. Mesmo assim, a experiência foi o que meu finado amigo Steve Hyde costumava chamar de viagem típica de Trump. Ou seja, saí de Nova York na sexta e voltei a tempo de estar no escritório na segunda de manhã.

Por fim, **seja flexível**.

Falo muito de a negociação ser uma arte, mas organizar a agenda também é uma forma de arte menor em si, especialmente quando você é levado em várias direções. O que eu e Norma sabemos é que, quando se trata de planejar meu dia, há uma enorme diferença entre dar duro e ser um *workaholic* enlouquecido.

Trabalho da manhã à noite, mas tento garantir bastante espaço vazio na agenda. Como disse o escritor inglês Samuel Butler: "Para fazer um ótimo trabalho, o homem deve ser muito ocioso e muito diligente". Os espaços em branco na minha agenda não representam tempo perdido. Não estar com a agenda fechada permite que eu tenha ideias em vez de simplesmente reagir aos problemas dos outros. Ter tempo livre também me dá flexibilidade para lidar com o que realmente está acontecendo naquele dia. Isso significa que raramente, se é que alguma vez, estou, por exemplo, batendo papo com o primeiro-ministro do Butão, depois posando para a capa da *Playboy*, enquanto o que realmente deveria estar fazendo era resolver problemas no Plaza Hotel. Pode parecer simples, mas garantir que eu gerencie meu dia em vez de permitir que meu dia *me* gerencie é a chave para eu evitar sobrecarga de trabalho.

3

TRUMP *VERSUS* TRUMP
DESFAZENDO O ACORDO

Os jornais falaram em "Problemas no paraíso". Bem, a primeira parte acertaram.

Eu estava em Tóquio quando a história da minha separação de Ivana veio a público em Nova York, mas pude sentir a coisa esquentar lá do outro lado do mundo. Houve telefonemas, perguntas e mensagens de amigos alertando sobre a demência total da mídia.

Se tivesse ideia da loucura que seria, talvez tivesse ficado no Japão.

De início, tive emoções confusas com relação à separação.

Na verdade, por um lado achei bom. Meu casamento não estava dando certo, talvez por culpa minha, mas, fazendo uma retrospectiva, creio que nossa separação era inevitável. Agora que a outra metade enfim estava caindo fora, tive uma sensação de alívio. Eu voltaria para casa, pegaria o necessário e me mudaria para um outro apartamento da Trump Tower, tão perto e, todavia, tão totalmente afastado.

Por que insisti por tanto tempo, se as coisas simplesmente não eram como deveriam?

Essa é uma boa pergunta, pois não é do meu feitio agir assim; não sou de deixar os problemas se agravarem. Meu casamento, pelo que parecia, era a única área da minha vida na qual eu estava disposto a aceitar algo que não fosse perfeito.

Mas havia motivos para isso. O primeiro é que eu sabia que em Ivana eu tinha uma mulher muito especial. Cresci com o sonho americano de compartilhar minha vida com uma esposa e filhos, e isso não é algo que se deixe de lado com facilidade. Também continuei com Ivana porque, como na maioria dos casamentos, havia a pressão para manter as coisas intactas.

Temos três filhos fantásticos a levar em conta. Também me apavorava com a ideia de desapontar meus pais maravilhosos, Fred e Mary, que permaneceram juntos por mais de cinquenta anos e vêm de uma geração que considera o divórcio basicamente um ato egoísta – algo que simplesmente não acontece.

Claro que não há nada de errado em se preocupar com os efeitos do divórcio nos seus filhos e nas pessoas que o cercam. O problema é que essas considerações não bastam para segurar um casamento. Você pode buscar aconselhamento, abrir o coração em conversas, ficar junto "pelo bem das crianças". Mas no fim é melhor para todos se o casal se separa. A reconciliação é sempre possível, claro, mas enquanto escrevo, parece que seguimos caminhos diferentes.

Isso não é de forma alguma um julgamento precipitado. Discuti a situação com muitas pessoas. Cheguei a pensar brevemente em propor a Ivana a ideia de um "casamento aberto". Mas percebi que havia algo de hipócrita e de mau gosto em tal arranjo com o qual nenhum de nós conseguiria viver – especialmente Ivana. Ela é uma dama.

Para ser honesto, devo destacar que Ivana nunca teve muita certeza de que devêssemos nos separar. Na verdade, ela nunca deixou de me amar, e espero que nunca deixe. Da mesma forma, sempre amarei Ivana. Mas isso não necessariamente significa que devemos ficar juntos. Às vezes em um casamento só um percebe o quanto os dois se afastaram, e o outro, por alguma razão, não consegue ver o que aconteceu ou simplesmente se recusa a aceitar a ideia.

Embora tenha sido a primeira a levar a público a notícia de nossa separação, Ivana estava chocada, pois na superfície tudo continuava igual. Nada piorou ou sequer mudou de modo perceptível na nossa vida diária ou na forma como nos dávamos. Mas não importa que na nossa casa nunca tenha havido muita gritaria e ninguém tenha jogado vasos ou rolos de massa como nos filmes de antigamente, estava na hora de tomar decisões difíceis e seguir nossas vidas. O que foi melhor para todos os envolvidos.

Acho que qualquer um que tenha visto alguma mudança na vida conjugal após anos de impasse entende por que pareci feliz quando a notícia enfim foi divulgada. Em termos ideais, eu gostaria de ter anunciado, é claro, em vez de deixar a equipe de relações públicas de Ivana vazar a história quando eu estava fora do país e não podia dar a minha versão. Mas, pelo menos, o longo período tentando melhorar nossa situação havia acabado. Eu apenas seguiria minha vida.

Olhando para trás, percebo que cometi um grande erro de cálculo ao subestimar como a imprensa abordaria meus problemas conjugais.

Não pude antever Trump x Trump competindo durante muito tempo com as histórias da libertação de Nelson Mandela depois de 27 anos na prisão, da reunificação da Alemanha e do fechamento do Drexel Burnham Lambert. Mas foi manchete por dois meses inteiros. Achei ridículo – ridículo e um pouco doentio.

"Dom Juan", alardeavam as primeiras páginas, seguidas da infame história sobre "O melhor sexo que já tive", na qual uma amiga de um amigo, cujos nomes não eram revelados, era citada em profusão sobre o que supostamente ouvira alguém falar a meu respeito. De acordo com o *Daily News*, fiquei exultante com esta última manchete; de acordo o *National Enquirer*, caí em prantos quando li. Faça a sua escolha. Ambos os relatos são tão ridículos quanto a história à qual supostamente reagi.

Costumo ler o que escrevem sobre mim, mesmo que seja só para rir. Mas por um tempo não consegui acompanhar a torrente de notícias sobre Trump *versus* Trump gerada diariamente pelos meios de comunicação do mundo todo. A certa altura, *Time*, *People* e *Newsweek* traziam reportagens de capa sobre os Trump, e Geraldo, Donahue e outros estavam ocupados entrevistando todos os advogados, jornalistas e terapeutas da cidade, ávidos por publicidade sobre Ivana e mim. (Oprah tem classe e não entrou nessa.) Até o presidente Bush fez uma piada um tanto forçada sobre o divórcio dos Trump em discurso durante uma visita a Nova York. Foi um pesadelo.

Durante dias, vários membros da minha equipe não fizeram nada além de recusar pedidos de entrevistas, que jorravam às centenas. A imprensa estava descontrolada. Não havia nada que eu pudesse fazer. Jornais como o *Daily News* e o *New York Post* vendiam trinta mil cópias a mais sempre que esparramavam uma história sobre os Trump na primeira página. Em vista do dinheiro que estavam ganhando com os problemas entre mim e Ivana, não estavam dispostos a largar a história de mão.

Para manter uma notícia basicamente simples viva durante meses, muitos redatores e apresentadores tiveram que passar desde cedo do jornalismo para o exagero histérico. Tenho certeza de que pessoas como a colunista Liz Smith simplesmente sentavam-se à máquina de escrever e datilografavam o que quer que lhes parecesse bom – ou o que o relações públicas de Ivana, amigo chegado da Srta. Smith, lhes dizia para escrever. Em um jornal, li que eu estava rasgando meu acordo pré-nupcial, estipulado em US$ 25 milhões de dólares, e em vez disso daria US$ 100 milhões a Ivana. Isso era totalmente absurdo, com números aparentemente tirados do nada. Outras histórias faziam com que eu parecesse uma combinação de John, Robert e Ted Kennedy. Nunca tive problemas na cama, mas, se tivesse tido casos com metade das estrelas e atletas a que os jornais me ligaram, não teria tempo de respirar.

Muita gente me falou para ignorar as reportagens estúpidas e maliciosas, mas elas me aborreceram horrores, especialmente quando começaram a se estender para as condições do meu império empresarial. Meu histórico me permitia obter financiamentos de milhões de dólares apenas com minha assinatura. Se fosse visto como um cara que está mais interessado em andar por aí com mulheres do que em gerenciar seus interesses financeiros, a situação, que já estava difícil, ficaria ainda mais complicada. A verdade é que eu continuava tão responsável como sempre. Não fiquei obcecado por sexo de repente. Apenas me separei da minha esposa porque tínhamos nos afastado.

Nenhuma outra mulher foi responsável pela separação. Marla Maples, a bela e jovem atriz que enfrentou a pior parte da publicidade histérica, é uma pessoa maravilhosa, mas meu relacionamento com ela não foi a causa dos problemas entre Ivana e mim. Marla foi um alvo fácil para a imprensa por ser bonita. No entanto, mesmo que nunca a tivesse conhecido, Ivana e eu nos separaríamos.

* * *

Ivana e eu não éramos as pessoas que somos agora – éramos garotos, comparativamente falando – quando nos conhecemos nos Jogos Olímpicos de Montreal, em 1976. Na época ela era uma modelo deslumbrante no Canadá, tendo imigrado da Tchecoslováquia, onde havia se destacado como esquiadora – de fato, foi reserva da equipe tcheca na Olimpíada de 1972. Na época eu estava começando no mercado imobiliário em Manhattan, mas tinha uma ideia clara do que queria – e viria a – realizar. Acho que se pode dizer que compartilhávamos do interesse por coisas glamourosas. Além disso, éramos jovens, ambiciosos e ainda não tínhamos responsabilidades mais sérias.

Eu era especialmente despreocupado. Tinha um pequeno apartamento confortável na Terceira Avenida e um estilo de vida bastante comum naquele tempo, mas que hoje, quando as pessoas temem morrer por causa do sexo, é difícil até de imaginar. Eu não bebia nem usava drogas; quanto a estimulantes, ainda tenho que beber minha primeira xícara de café. Mas saía quatro ou cinco noites por semana, normalmente com uma mulher diferente de cada vez, e me divertia imensamente.

No rescaldo da explosão Trump x Trump, muita gente expressou a ideia de que os 1990 são os anos de ouro da fofoca e do escândalo. Tudo o que posso dizer é que talvez não estivessem aqui ou não se lembrem do ambiente em Manhattan há quinze anos.

Coisas muito loucas aconteciam o tempo todo naquela época, e ninguém dava muita bola. Por exemplo, um dia, um amigo ligou para o meu escritório e disse que precisava arrumar um encontro para certa mulher casada muito conhecida. Ela estava visitando a cidade e era, disse ele – usando uma expressão típica dos embalos dos anos 1970 –, "gostosa pacas".

Eu tinha uma namorada, e ele também, mas eu conhecia um cara chamado Ben que entendia tudo de alta sociedade. Eu tinha certeza de que Ben poderia acompanhar essa mulher e ser discreto. Telefonei para ele na mesma hora, Ben disse que estava cansado e planejara ficar em casa naquela noite, mas acabou concordando em sair com a mulher, como um favor pessoal a mim.

A senhora em questão era casada com um homem que na época era primeiro-ministro de um país importante. Eu já tinha ouvido histórias sobre ela, mas nunca tinha dado muita bola até aquela noite. Nos encontramos na casa do amigo que havia me telefonado. Depois de conversar um pouco na sala, quatro de nós, que já nos conhecíamos, fomos para a cozinha, deixando Ben e Madame X na sala para se conhecerem melhor. O que de fato fizeram. Quando voltamos, uns dez minutos depois, ela e Ben estavam envolvidos em uma cena incrivelmente tórrida no sofá.

Lembro de ficar ali parado, pensando: "Donald, você não está mais no Queens".

Na época, pode acreditar, aquela era apenas mais uma noite na cidade grande.

Comparada a mim, Ivana tinha uma bagagem emocional pesada quando nos conhecemos. À medida que fomos nos conhecendo melhor e nos apaixonando, ela contou sobre o casamento de conveniência que teve de contrair para sair da Tchecoslováquia. Explicou que seu verdadeiro amor na época era um jovem que morrera tragicamente em um acidente de carro pouco antes de ela ir para o Canadá. A perda foi tão dolorosa que, anos depois, Ivana mal conseguia falar no assunto, e não a pressionei.

Por mim, não haveria necessidade de jamais se tocar nisso. O *New Work Post* viu as coisas de outra maneira. Num período em que a baixaria jornalística batia recordes todos os dias, esse jornal se superou revirando aquelas lembranças sofridas sob a manchete "O passado sombrio de Ivana".

A verdadeira história de Ivana era de fato a de uma mulher que lutou incansavelmente para escapar da Cortina de Ferro. Ela se esforçava em tudo que fazia, mantinha os olhos abertos a qualquer oportunidade e trabalhou para pagar seus estudos na Charles University, em Praga.

Desde o início, vi que Ivana era diferente de quase todas as mulheres com as quais eu passava o tempo. Beleza era prioridade para mim – às vezes, para ser honesto, a única coisa que importava – nos meus tempos de agito. Ivana era deslumbrante, mas também era ambiciosa e inteligente. Quando a apresentei aos meus amigos e sócios, disse: "Acreditem. Essa é diferente". Todos sabiam a que eu me referia, e acho que todo mundo sentiu que eu achava a combinação de beleza e inteligência quase inacreditável. Suponho que eu fosse um pouco ingênuo, e talvez, como muitos homens, tenha aprendido com Hollywood que as mulheres não têm as duas coisas. De qualquer forma, vi que se tratava de uma chance única na vida e não queria deixar que escorregasse por entre os dedos. Menos de um ano depois de Ivana e eu termos nos conhecido, o reverendo Norman Vincent Peale nos casou na igreja Marble Collegiate, em Manhattan.

Foi uma época empolgante de minha vida, mas não tão empolgante para que eu me jogasse no casamento sem um acordo pré-nupcial. Esses documentos não eram tão comuns na época, mas eu acreditava que fossem muito importantes para alguém na minha posição.

Um contrato dessa espécie é um assunto difícil de abordar; não há como contornar o fato de que planejar a própria separação não é uma forma muito romântica de passar uma noite. Um dos parceiros pode até se sentir insultado quando o outro sugere um acordo pré-nupcial. Para muita gente, significa que você está desistindo do casamento antes mesmo de começá-lo. Talvez essas pessoas estejam certas. Já vi estatísticas mostrando que casais que fazem um acordo pré-nupcial têm mais probabilidade de se divorciar do que casais que não o fazem. Ainda assim, acho que um acordo pré-nupcial é uma necessidade dos tempos modernos.

Quando mencionei essa necessidade a Ivana pela primeira vez, minha argumentação foi simples e honesta — tentei me colocar no lugar dela enquanto discutíamos vários pontos. A coisa que mais enfatizei foi que eu estava construindo um negócio envolvendo funcionários e credores e que, devido à minha posição, não podia enfrentar um litígio prolongado e a incerteza que impediria algum desses grupos de ser pago. Isso apenas causaria danos aos meus negócios, se não os arruinasse completamente, e acabaria prejudicando todos os envolvidos. Também destaquei que é muito melhor para os dois lados definir os detalhes de uma possível separação enquanto são amigos do que depois de se tornarem inimigos. Disse que algumas pessoas que têm acordos pré-nupciais se dão melhor depois do casamento e com certeza ficam em melhor situação do que aquelas que não têm e, se o casamento acaba, passam anos brigando na Justiça.

Esses argumentos são bastante sensatos – tão sensatos que eu questionaria os motivos de um possível cônjuge que os ouvisse e não concordasse. De qualquer forma, Ivana aceitou a ideia do acordo pré-nupcial. Falamos de maneira franca sobre o que queríamos e não tivemos problemas sérios para chegar aos termos específicos do acordo, nem naquela época nem nas três ocasiões em que fizemos revisões – sempre a favor de Ivana – refletindo meu crescente sucesso financeiro.

Na verdade, não tivemos problemas como casal, pelo menos não durante um tempo.

É interessante como os relacionamentos, assim como as crianças, passam por fases diferentes e bastante previsíveis. Em geral, os primeiros anos são tão empolgantes que as pessoas têm a certeza de ser um daqueles raros casais que viverão juntos para sempre. Mas depois, não importa quem sejam, chegam à fase seguinte, quando a névoa do romance se dissipa e elas começam a ver realmente se as coisas estão dando certo ou não. Em retrospecto, vejo que Ivana e eu não tivemos nada em comum por um bom tempo. Um dos problemas era que tínhamos opiniões totalmente opostas sobre o que é ser rico e bem-sucedido em termos de vida cotidiana.

Ivana é o que eu chamaria de tradicionalista. Aspira à aristocracia. Acredita que as pessoas de nossa posição devem levar certo tipo de vida – uma vida envolvendo noites a fio com gente de sociedade e eventos sociais de gala, *smokings* e vestidos de festa caros. Gosta de transitar em um mundo onde se passa o verão aqui e o fim de semana ali e onde se é fotografado sempre ao lado das pessoas certas. Em Mar-a-Lago, nossa casa de Palm Beach, ela mantinha um sofisticado livro com capa de couro no qual os convidados assinavam seus nomes, e entregava a eles um cronograma impresso informando os horários para jogar tênis, golfe, comer e fazer massagem.

Eu compreendia, mas sempre detestei esse estilo de vida. Na minha opinião, o ambiente social – em Nova York, Palm Beach ou qualquer outro lugar – está repleto de gente falsa e desinteressante que muitas vezes não fez nada mais inteligente do que herdar a fortuna de outra pessoa – o Clube do Esperma da Sorte, como eu chamo. Sou um homem de gostos muito simples – talvez não no projeto de prédios, mas na maioria das outras coisas. Não gosto de molhos requintados ou vinhos finos. Gosto de comer um filé em vez de peito de faisão. Na maior parte das noites, prefiro ficar na cama vendo algum filme ou evento esportivo na TV, com o telefone não muito longe.

Não estou dizendo que Ivana estivesse totalmente errada em querer um papel importante na badalação social. Muitas festas realmente levantam bastante dinheiro para caridade e artes, e, até certo ponto, frequentá-las e conhecer pessoas raras e verdadeiramente interessantes ou influentes pode ser bom para os negócios e intelectualmente estimulante. Mas só se vive uma vida, e simplesmente não era assim que eu queria viver a minha.

Lembro-me de reclamar certa noite com Abe Rosenthal, o brilhante ex-editor executivo do *New York Times* e hoje um de seus colunistas, sobre o quanto detestava ir a jantares, especialmente quando as pessoas insistiam no *black tie* para uma reunião na própria casa.

"Não é o cúmulo da pretensão?", perguntei. "Já não é ruim o bastante ter que ir a essas coisas e conversar com essas pessoas sem precisar vestir um *smoking*?"

"É, sim, Donald", disse Abe. "Mas as mulheres querem, e então nós concordamos."

Balancei a cabeça e disse: "Acho que você tem razão", porque ele tinha. Mas de alguma forma meu ressentimento se aprofundava no transcorrer de cada uma dessas noites medonhas.

Acho que o que piorou a situação foi o fato de eu passar a maior parte do tempo comandando uma grande companhia, tendo controle sobre o que eu fazia e com quem passava meu tempo conversando. Meu expediente me fascinava e energizava. Mas, no final da tarde, muitas vezes recebia um telefonema de Ivana lembrando-me do compromisso daquela noite. "Você vai se sentar do lado do lorde fulano em tal evento", dizia – e de repente me sentia como um subalterno a quem tinham dado uma tarefa sem sentido e enfadonha. Às vezes me zangava, dizia que não ia, e discutíamos pelo telefone. No final, como não queria desapontá-la ou envergonhá-la, quase sempre concordava em ir. Quando desligava o telefone, contudo, muitas vezes dizia, em alto e bom som, creio, para qualquer um que estivesse na entrada do meu escritório ouvir: "Minha vida é uma merda".

Ter ingressado no ramo de hotéis-cassinos também contribuiu para alguns dos nossos problemas, pois revelou uma diferença básica de personalidade.

Comecei a me envolver profundamente com o cenário de Atlantic City no início dos anos 1980, quando construí o Trump Plaza e depois adquiri uma unidade quase pronta do Hilton, que por fim se tornou conhecida como Trump Castle. Ivana também se envolveu. Em parte porque ela precisava ocupar o tempo, pedi que supervisionasse as operações do Castle. Não posso dizer que ela não deu duro. Ivana ia de helicóptero para o trabalho na maioria das manhãs e voava de volta a tempo de jantar com as crianças e ajudá-las no dever de casa. Estava sempre lendo relatórios e participando de reuniões. Olhando para trás, vejo que Ivana se saiu bem, apesar da falta de experiência na indústria do jogo ou de qualquer afinidade natural com o cenário de Atlantic City.

Na verdade, essas duas coisas andam de mãos dadas. Não é preciso *ser* um jogador para ter sucesso no negócio dos cassinos; na verdade, você é proibido por lei de jogar. O que é absolutamente necessário, no entanto, é gostar dos jogadores e entendê-los – dos apostadores de caça-níqueis, que são o seu ganha-pão, aos grandes apostadores, que podem fazer uma diferença de milhões de dólares no seu balancete no decorrer da semana. Para ser franco, a ideia de arriscar um dinheiro suado jogando dados ou girando uma roleta pessoalmente me parece um pouquinho ridícula. Mas adoro a excitação do ambiente e adoro estar com os clientes importantes do cassino. São caras animados, peitudos e despretensiosos, que normalmente vêm de um passado modesto, mas deram jeito de aproveitar a própria inteligência e vivem de forma bastante luxuosa. Em outras palavras, são em muitos sentidos o exato oposto das pessoas de sociedade com as quais Ivana gostava de conviver. E, de diferentes maneiras, são muito mais atraentes e com certeza mais reais.

Felizmente, em 1988 eu estava comprando o Plaza Hotel em Nova York, e isso me deu a oportunidade de pedir a Ivana que passasse seus dias lá, e não no Castle, onde ela trabalhava duro e fazia um serviço muito bom. Eu sabia que, por mais dedicada que Ivana fosse ao Castle, a chance de ficar em Manhattan e mais perto das crianças seria irresistível.

Olhando para trás, vejo que colocar Ivana nos negócios não foi uma ideia tão boa quanto eu havia imaginado. Em grande parte, a culpa foi minha. Ivana nunca soube realmente onde se encaixar; tinha um papel de certa forma ambíguo na organização – algo entre esposa (e representante) do chefe e funcionária –, e, quando as linhas não são traçadas de forma clara, os mal-entendidos são inevitáveis. Havia vezes em que Ivana tomava uma decisão e eu passava por cima, ou eu reclamava de algum aspecto da operação e ela ficava magoada e zangada. "Você quer que eu fracasse", dizia ela.

Todavia, a tensão e frustração que eu sentia são apenas metade da história. Na mesma época em que meu casamento ia mal, comecei a atrair a atenção de uma quantidade inacreditável de mulheres.

Havia algo de totalmente ridículo nisso. Depois que apareci no programa de Phil Donahue para promover meu primeiro livro, por exemplo, recebi malotes do correio repletos de cartas insinuantes e de propostas diretas de mulheres; muitas delas incluíam fotos nuas em poses variadas. De algum modo, eu não me via de braços dados em público com senhoras desse naipe.

No entanto, não eram apenas interesseiras ou *groupies* potenciais que se mostravam atraídas por mim. Parte da atenção vinha de mulheres bastante interessantes, e até mesmo, em alguns casos, grandes beldades – muitas vezes famosas.

Contudo, por mais problemas que tivéssemos e não obstante todas as oportunidades que me aguardavam, sair da casa que eu dividia com Ivana e nossos três filhos na Trump Tower foi a decisão pessoal mais difícil que já tomei. Lutei contra a ideia durante um bom tempo.

Tenho de confessar que, no fim das contas, a forma como lidei com a situação foi um fiasco. Nunca me sentei calmamente com Ivana para "discutir a relação", como provavelmente deveria ter feito. Em vez disso, fiz comentários levianos, às vezes em público. O que a fez perder a cabeça – e a levou à coluna de Liz Smith – foi a minha entrevista para a *Playboy* com o escritor Glenn Plaskin. Quando Glenn perguntou se meu casamento era monogâmico, respondi: "Não tenho que responder a isso". E fui adiante: "Acho que todo homem gosta de flertar e, se diz que não, está mentindo ou talvez seja um político tentando conseguir quatro votos extras. Acho que todo mundo gosta de saber que causa uma bela reação. Isso é importante, especialmente quando se chega a determinado estrato envolvendo ego e um alto nível de sucesso. As pessoas realmente gostam da ideia de que as outras reagem bem a elas".

Por um lado, falei apenas generalidades. Por outro, de fato apertei o botão que explodiu nosso casamento. Com aquela entrevista, praticamente desafiei Ivana a ir a público com os nossos problemas – o que ela fez, apresentando-se como uma mulher desprezada e ganhando a simpatia do público com facilidade. Considerando o exemplo que estabeleci para ela em termos do que se poderia chamar de gestão de imagem, eu teria ficado profundamente decepcionado se Ivana tivesse feito algo diferente.

Ivana é uma mulher bonita, forte e sagaz, que sabe como se conduzir em quase todas as situações. Vive como uma rainha e vai ficar bem, haja o que houver. Para a sorte dela, nosso acordo nupcial é rígido e, caso confirmado na Justiça, proporcionará segurança financeira para o resto da vida, desde que ela não deixe os gastos escaparem totalmente do controle.

Estou muito mais preocupado – e menos certo – em relação ao que o futuro reserva para meus filhos Donny, Eric e Ivanka. Sei que a maioria dos pais pensa assim, mas acho meus filhos o máximo. Claro que eles têm todas as vantagens materiais e sempre terão. Contudo, em muitos aspectos já tinham uma vida difícil mesmo antes de ter que lidar com a separação dos pais e o circo da mídia que a acompanhou.

Por questões de segurança, tanto eu quanto Ivana temos de ser extremamente cuidadosos ao aparecer com eles em público, e nunca os deixamos ser fotografados pela imprensa. Mas é uma situação muito difícil de controlar, pois queremos que a vida deles seja a mais normal possível. Não faz muito, uma foto de Ivanka apareceu no *New York Post* em reportagem sobre sua escola de dança. "A caçula dos Trump ensaia para um espetáculo", dizia a legenda. Qualquer outra menina, e seus pais teriam se encantado com a atenção especial. Mas fiquei zangado quando vi a foto e reclamei.

Tenho que proteger meus filhos dessa forma; todavia, sei que, crescendo ricos e em um casulo, na verdade eles ficam em desvantagem para desenvolver as habilidades de que necessitarão para ter sucesso em grande escala. Meus filhos são ótimos, e, quando se dispõe de energia, confiança e inteligência, tem-se uma combinação imbatível.

Se examinar os históricos, você vai ver que infelizmente os filhos de gente famosa em geral carecem de uma ou mais dessas qualidades. É triste dizer, mas muitos são completos tolos e fracassados. Nunca se sabe ao certo até que eles sejam postos à prova. Talvez eu esteja sendo um pai superprotetor, mas, se eu tiver alguma influência no assunto, meus filhos poderão muito bem ser gestores, não empreendedores. Seria o maior barato saber que eles estão vivendo bem e mantendo o império Trump – seja ele qual for quando esta minha louca aventura chegar ao fim.

Para mim este capítulo foi o mais difícil de lidar, por muitas razões. Não me sinto à vontade discutindo meus sentimentos, e a verdade é que não sei qual será o resultado da minha separação de Ivana. Brinquei sobre terminar os capítulos deste livro com pontos de interrogação, e este com certeza é um deles.

4

A VIDA NO TOPO

Um dos capítulos mais populares de *A arte da negociação* descrevia uma semana de minha vida. Ali eu disse que para mim não existe essa coisa de período típico. Contudo, olhando minha vida de fora, percebo o surgimento de certas tendências. Nos últimos anos, por exemplo, travei muitas batalhas. Lutei arduamente por certos bens. Lutei para que os empreiteiros cumprissem suas obrigações. E provavelmente lutei mais que tudo para preservar uma reputação que muitas vezes esteve sob sérios ataques.

Não posso ganhar todas as batalhas, mas ganho mais do que perco. E ainda aprendo alguma coisa – sobre os negócios, as pessoas, a vida – a cada embate.

Enquanto trabalhava neste livro, anotei pensamentos e registrei certos acontecimentos tão logo ocorreram. Eis aqui alguns episódios recentes, para dar um exemplo de como é.

* * *

9 horas – Meu pai, Fred, liga do escritório dele no Brooklyn só para saber como vão as coisas e bater papo. Conversamos pelo telefone provavelmente uma dúzia de vezes por semana.

Meu pai e eu temos um ótimo relacionamento. Eu o chamo de Daddy-O ou Pops, e ele é igualmente afetuoso comigo, do seu jeito por vezes ríspido. Acho que, depois de certo ceticismo inicial em relação a minhas negociações vistosas e minha diversificação além do mercado imobiliário, meu pai passou a apreciar meu sucesso.

O que não quer dizer que ele tenha perdido qualquer coisa da fachada rude. Está aí um homem que nunca deixa você esquecer que ele é seu pai. "Ah, o que você sabe sobre esse ou aquele negócio?", ele às vezes ainda me pergunta. Ele pensa apenas em termos de sucesso. Nunca é falado, mas você entende o recado se é filho dele.

Muita gente diz que me puxo tanto porque estou competindo com meu pai. Não é verdade, embora suspeite que todos os filhos desejem em alguma medida superar os pais. Se há alguma coisa em meu pai que me incita, é a tremenda confiança que ele mostra ter em mim. Estou sempre tentando justificá-la.

Meio-dia – Um dos meus executivos de Atlantic City liga para contar que certo xeque árabe deixou US$ 900 mil no Trump Castle no fim de semana. À primeira vista, nada de incomum – é rotineiro grandes apostadores ganharem ou perderem essas quantias nas mesas de bacará ou vinte-e-um –, mas esse cara só jogou nos caça-níqueis. É preciso dar duro para perder tanto nos caça-níqueis em um fim de semana. Na verdade, esse cliente específico passou quatro dias inteiros enfiando fichas de cem dólares nas máquinas enfileiradas.

Jogadores realmente são uma raça à parte.

14 horas – Um cara que estou começando a conhecer e com quem estou pensando em fazer um negócio liga e pergunta se não quero jogar uma partida de golfe com ele amanhã à tarde. Minha primeira reação é dizer que não, estou muito ocupado para sair do escritório. Mas penso um pouco mais e decido ir.

Pela minha experiência, jogar golfe com um associado de negócios raramente é perda de tempo. Isso porque o golfe é um jogo que rapidamente revela muito sobre o caráter e as prioridades da pessoa. Acho interessante observar a forma como vários tipos de pessoas usam o sistema de *handicap*, que, na teoria, permite que pessoas com diferentes capacidades joguem umas com as outras de igual para igual.

Tenho um amigo, por exemplo, que insiste em um *handicap* 9. Algumas pessoas com as quais jogo brincam que poderíamos ganhar a vida jogando com esse cara com *handicap* 9, que na verdade deveria ser 17 ou 18. Ele nunca ganha, mas não se importa; prefere andar por aí se gabando do baixo *handicap*.

Existe também o outro tipo de golfista – o cara que deveria ter *handicap* 4, 5 ou 6, mas joga com 13, 14 ou 15. Claro que isso o torna praticamente imbatível.

Quanto a mim, jogo desde uns 18 anos de idade, e em certa época consegui baixar meu *handicap* para 3 em campos difíceis. Portanto, dá para dizer que não sou mau jogador. Contudo, dada a minha personalidade, prefiro muito mais ganhar com um *handicap* alto do que perder com um baixo.

17h30 – Telefono para um conhecido que dirige uma empresa de capital aberto que não está indo muito bem. Quando a secretária me diz que transmitirá o recado quando ele voltar das férias, fico bastante surpreso.

"É mesmo? Foi o que você me disse quando liguei pela primeira vez, uma semana e meia atrás", digo.

"Sim, eu sei, Sr. Trump", ela responde, "mas ele está fora todo este tempo e ainda não telefonou."

Ouvindo isso, percebo na hora que esse homem, apesar de certo potencial, nunca vai se dar bem nos negócios, e sua empresa sofrerá enquanto ele estiver no controle. Executivos que se afastam do escritório e não ligam pelo menos uma vez por dia sempre correm o risco de ter surpresas desagradáveis. Assim como os acionistas da empresa.

Quando estou fora do escritório, telefono umas dez vezes por dia – do carro, de telefones públicos, até mesmo do campo de golfe. Provavelmente é demais, mas prefiro pecar pelo excesso. Em qualquer negócio, sempre há incêndios surgindo; quanto mais rápido se consegue apagar, melhor.

* * *

9 horas – Recebo um telefonema de Robert Morgenthau, o brilhante promotor público de Manhattan, informando que fui escolhido como homenageado do 75º jantar da Liga Atlética da Polícia, evento de gala que será realizado no grande salão de festas do Plaza Hotel. Sei que a liga, que ajuda jovens carentes da cidade, significa muito para

Bob; por isso pergunto se posso fazer alguma coisa para garantir que a noite seja um sucesso.

"Bem, na verdade", diz Bob, "gostaria de saber quem você acha que seria um bom patrono do evento."

Boa pergunta. Sei pela experiência com esses grandes acontecimentos de caridade que a escolha do patrono é crucial. A pessoa ideal para a tarefa é alguém que não apenas venda ingressos, mas também convide gente que assine cheques polpudos. Acontece que eu talvez conheça o cara certo para o serviço: Henry Kravis, da Kohlberg Kravis Roberts.

Henry, a mente por trás da compra de US\$ 24 bilhões da RJR Nabisco, é um dos maiores negociadores deste século. Somos mais amigos do que rivais nos negócios. Mesmo assim, somos dois caras competitivos com egos saudáveis, e devo admitir que estou curtindo a ideia de Henry vender ingressos para um jantar em minha homenagem.

Mas aí imagino uma forma de me divertir ainda mais com a situação. "Bob", digo para o promotor Morgenthau, "sei que você não conhece Henry. Mas acho que realmente seria melhor se você mesmo ligasse e pedisse a ele para ser o patrono." Bob ri quando digo isso, pois sabe exatamente o que estou tramando.

Uma fonte da KKR depois me contou o que aconteceu. Quando anunciaram que o promotor público Robert Morgenthau estava ao telefone, o escritório de Henry caiu em silêncio. Henry é um cara totalmente honesto, mas você deve ter em conta que ele conhece Bob apenas como um promotor brilhante que quase todos os dias indicia várias pessoas e empresas. Ao pegar o telefone, Henry já estava suando.

"Sim, Sr. Morgenthau, há algo que eu possa fazer pelo senhor?", perguntou.

"Bem, sim, há sim, Sr. Kravis", disse Bob, fazendo uma pausa para intensificar o efeito do telefonema. "Daqui a dois meses vamos homenagear Donald Trump com um jantar na Liga Atlética da Polícia, e ele gostaria de saber se você poderia ser o patrono."

Mais tarde Bob me contou que nunca o cargo de patrono de um jantar de caridade foi aceito com tanto entusiasmo e prazer.

"Oh, sim, com certeza", respondeu Henry. "Ser patrono? Nada me agradaria mais que isso."

Tendo Henry como patrono, o jantar foi um enorme sucesso.

10h30 – Debbie Allen, a dançarina e cantora, telefona do salão de beleza para dizer que gostou muito de ter participado do júri do concurso Miss América em Atlantic City. Concordei que tinha sido muito divertido, especialmente porque consegui organizar as coisas de forma que os jurados famosos não precisassem passar a semana inteira vendo todas as disputas preliminares. Em vez disso, nós jurados pudemos chegar na noite da final, revisar a competição e ir em frente. O resultado foi que o concurso não se limitou a escolher jurados entre celebridades do tipo que pode ficar semanas parado sem fazer muita coisa no meio do verão.

Meio-dia – Um dos advogados da Organização Trump vem me informar que Stanley Friedman foi condenado a doze anos de prisão.

Friedman, ex-vereador pelo Bronx, outrora foi um dos políticos mais influentes de Nova York – até ser indiciado por receber propina de uma companhia que tentava vender computadores para o Departamento de Infrações de Estacionamento da cidade.

Friedman, aconselhado a retirar seu julgamento da cidade e levá-lo para Connecticut, teve uma péssima assessoria legal. Acredito sinceramente, depois de conversar com advogados e repórteres que cobriram os vários escândalos da administração Koch, que em um tribunal de Nova York Friedman teria sido considerado apenas outro político agressivo e se livrado da condenação. Mas em Connecticut foi visto como um cara esperto – um vigarista durão da cidade, astuto demais, que precisava ser punido.

É claro que quem vai pagar, e pagar caro, pelo erro de ter retirado o caso da cidade é Stanley, e não seus advogados. Stanley Friedman recebeu uma sentença mais dura do que muitos molestadores de crianças e assassinos – e na época muita gente achou que ele nem deveria ter sido condenado.

14 horas – Recebo o telefonema de um amigo que trabalha em uma revista recentemente adquirida por uma editora maior. Pergunto como vão as coisas, e ele diz: "Um desastre, Donald. Era uma bela revista, mas agora é apenas uma questão de tempo até estarmos à procura de outro emprego".

O que aconteceu foi o seguinte: a nova empresa pediu ao antigo proprietário que ficasse e dirigisse as coisas, mas o cara que criou tudo parece ter perdido subitamente o antigo entusiasmo. Não chega antes das dez da manhã, fica por lá zanzando, faz um almoço de duas horas e vai para casa às cinco da tarde.

Não fico surpreso ao ouvir a história. Na teoria, parece ótimo manter o antigo proprietário para proporcionar estabilidade e experiência. Mas na prática quase nunca dá certo. Acaba-se com um pretenso líder que está mais interessado em comprar uma casa nova, gerir seus investimentos e planejar as férias do que em se esforçar para que a empresa seja um sucesso.

15h30 – Alguns dias depois de eu ter aparecido no programa de Phil Donahue, Norma me entrega uma carta manuscrita de Barbara Bush. "Caro Donald", dizia. "É só um bilhete – estava saindo de casa hoje pela manhã, quando ouvi você ser atacado por Phil Donahue. Você foi ótimo! Barbara." A Sra. Bush é uma dama de muita classe.

20 horas – Dirijo-me aos estúdios da CNN para uma entrevista no *Larry King Live*. Adoro participar do programa de Larry. Uma das coisas que o tornam um grande entrevistador é que, ao contrário de Dick Cavett e uma série de talentos menores, Larry consegue ceder o papel principal para os convidados quando as luzes se acendem e a gravação começa.

Uma das primeiras perguntas de Larry nessa noite é especialmente sagaz. "Você parece sempre pegar as pessoas de surpresa e ir direto na jugular", observa Larry. "Como faz isso?"

Em vez de responder diretamente, olho para ele, faço uma cara de leve repulsa e digo: "Larry, você tem mau hálito. Mau hálito mesmo". E me afasto dele.

Larry fica genuinamente espantado. Olha em redor, começa a dizer alguma coisa, mexe nos papéis. Não sabe bem o que fazer. Aí, um ou dois segundos depois, entende qual é a minha – isto é, demonstrar como tirar o adversário totalmente do prumo com um comentário inesperado.

Larry adorou meu pequeno truque tão logo entendeu qual era. Estou certo de que ele sentiu que, de forma perversa, nosso diálogo esquisito foi bom para o programa e não teve nada a ver com seu hálito.

* * *

9 horas – O gerente de um dos meus prédios liga para dizer que Larry Hagman, estrela da série de TV *Dallas*, não gostou dos azulejos colocados no banheiro do seu apartamento após um conserto que tivemos que fazer. Deveríamos arrancar e colocar outros?

Pode parecer que isso não precisa de uma decisão executiva. Por outro lado, aprendi muito sobre material de construção ao longo dos anos e na verdade gosto de trabalhar com tijolos, azulejos, carpete e papel de parede.

"Tudo bem, vamos tirar o *off-white* e colocar o bege", digo ao gerente do prédio. "Acho que o Sr. Hagman quer um tom mais intenso e quente."

Acho que eu estava certo, pois não ouvi mais reclamações após a troca. Perda de tempo? Na verdade, considerei trinta segundos bem gastos.

11 horas – Dirijo-me ao aeroporto de La Guardia, onde meu avião me aguarda para me levar a Palm Beach. Quando chego ao avião, no entanto, há um estranho na porta esperando para me cumprimentar.

"Quem é você?", pergunto.

"Seu novo piloto", diz o cara. "Sua administradora me contratou."

Não gosto nada da situação. É verdade que contratei uma empresa para cuidar do avião. Mas tínhamos um acordo de que eu poderia contratar e despedir qualquer piloto. O motivo é simples: não sou grande apreciador de voos e me sinto muito melhor sabendo que escolhi pessoalmente a pessoa que terá minha vida em suas mãos.

"Acho que vou passar esse voo", digo ao novo piloto. "Primeiro, não sei quem você é. Segundo, não tenho lá grande respeito por uma empresa que faz uma coisa dessas."

Peço ao meu motorista para me levar ao terminar principal, onde pego um voo comercial. Sei que ligarei para a administradora do avião assim que voltar.

* * *

8h30 – Me reúno com Dennis Connor, o capitão que ganhou duas Copas América de vela para os Estados Unidos, para discutir o plano dele de publicidade para meus hotéis de Atlantic City. Dennis é o maior velejador do mundo, um verdadeiro campeão e um cara muito esperto. Mas essa ideia específica, que envolve uma série de competições de iatismo, parece muito cara e extremamente complicada. Além disso, pelo que entendi, o plano não renderá benefícios antes de 1993. Da forma como meu relógio interno funciona, isso está longe demais para sequer levar em consideração.

Escuto um pouco e depois começo a mudar o rumo da conversa. Estou pensando em construir um iate novo e bem maior, digo a Dennis. Se eu for em frente, e mesmo que não vá, venderei o *Trump Princess*. Ocorreu-me que, devido ao ambiente em que Dennis circula, talvez conheça um comprador.

Por um instante Dennis fica perplexo com minha sugestão, mas aí diz que sim, que de fato conhece algumas pessoas que poderiam ser compradoras potenciais do meu barco. Digo a ele que de minha parte temos um acordo que lhe dará uma bela comissão se eu decidir vender e ele agenciar a transação.

Quando nosso encontro termina, minutos depois, ele está feliz, pois obteve uma oportunidade potencialmente lucrativa. E eu estou feliz porque acabei de contratar um vendedor de alto gabarito que não me custará nada a menos que me faça um grande serviço. O engraçado é que nenhum de nós havia vislumbrado essas possibilidades quando ele entrou na sala cinco minutos antes.

10h30 – Antes que eu ligue, alguém da empresa que contratei para cuidar do meu avião telefona e pergunta qual é o problema com o novo piloto.

"Primeiro me diga o que aconteceu com o piloto antigo", respondo.

"Tivemos que dispensá-lo", diz o cara. "Pediu mais US$ 2 mil por ano."

Quando ouvi isso, quase enlouqueci. Eu mesmo tinha entrevistado aquele piloto e ficado muito impressionado com ele. Tinha trabalhado na Força Aérea e voado no Vietnã. Além disso, seu desempenho era impecável. Quando aterrissava, nem dava para sentir o avião tocar o solo.

"Você deve estar brincando", digo para o representante da empresa. "Sabe, por US$ 2 mil anuais, vocês perderam um homem muito bom."

Sem falar em um ótimo cliente, poderia ter acrescentado.

Meu telefonema seguinte é para o piloto original. Falamos um pouco sobre o que aconteceu com a administradora do avião e, durante a conversa, menciono que estou pagando US$ 2 por galão de combustível. "Poxa, Sr. Trump", diz ele, "consigo o mesmo combustível por cinquenta centavos o galão." Não sei de cabeça quantos galões de combustível de avião utilizo por ano, mas, seja lá quanto for, pareceu uma economia significativa.

"Escute, tive uma ideia", digo a ele. "Que tal voltar a trabalhar para mim como uma espécie de piloto-gerente? Você tratará de tudo que se refere ao avião – orçamentos, abastecimento e tripulação –, além de pilotar para mim."

Ele concorda na hora; então ligo para a administradora e digo que não preciso mais dos serviços deles. Foi uma decisão que ao longo do ano seguinte me fez economizar mais de US$ 400 mil. No processo que depois abri contra a empresa, ganhei outros US$ 400 mil como compensação pelo mau gerenciamento.

15 horas – Saio de uma reunião e volto para meu escritório na Trump Tower caminhando por três quarteirões da Quinta Avenida. É uma pausa que me dá a oportunidade de organizar os pensamentos.

Por um tempo pensei em chamar este livro de *Everybody Hates a Winner* (Todo mundo odeia um vencedor). Para mim, soa verdadeiro porque, francamente, sinto muita inveja e hostilidade por parte de muita gente com quem faço negócios ou encontro socialmente. Notei que algumas das pessoas mais bem-sucedidas só conseguem se associar com gente menos bem-sucedida que elas. Quando estão com alguém que recebe mais atenção ou fez mais do que elas, demonstram um grande complexo de personalidade, ficam nervosas e inquietas – e tenho certeza de que dizem coisas maldosas pelas costas da pessoa mais bem-sucedida.

Mas meu breve trajeto pela rua me faz perceber outra coisa sobre as pessoas. Enquanto caminho, uns 25 completos estranhos acenam e gritam: "Oi, Donald", "Como vai, Donald?", "Continue o bom trabalho". Isso prova que o trabalhador comum é muito mais bem ajustado e seguro do que as pessoas supostamente bem-sucedidas que olham para ele das suas coberturas.

Acho que a verdade é que nem todo mundo odeia um vencedor.

18 horas – Um cara que mal conheço, algum babaca da sociedade nova-iorquina, telefona. "Ho, ho, ho", diz ele, com uma espécie de risada forçada. "Andei lendo os quadrinhos *Doonesbury* sobre você. Você tem de admitir que são hilários."

"Oh, tenho de admitir?", pergunto. "Poderia admitir que fossem engraçados se fizessem algum sentido. Fui à escola, sempre tirei boas notas, mas não consigo entender essas supostas piadas. Se você entende o que esse cara está dizendo, por favor, me explique."

"Oh, mas Donald...", diz ele.

"Não, sério, por favor, me explique."

Claro que ele não consegue.

Os quadrinhos *Doonesbury* são uma lição da arte de vender. Garry Trudeau, o cara que desenha, convenceu um monte de gente de que ele é antenado e irreverente e que seus quadrinhos são a coisa a ser lida. É tão bom vendedor que não importa que careça de talento para respaldar suas opiniões. Concordei na íntegra com um artigo na *Rolling Stone* em que George Carlin, um cara realmente antenado e irreverente, afirma que os quadrinhos *Doonesbury* são extremamente superestimados e que ele não entende o que todo mundo acha tão engraçado.

Nem eu, George, ainda que, se Garry Trudeau quiser continuar me imortalizando no papel, talvez eu deva me sentir honrado. A esposa de Trudeau, Jane Pauley, é muito mais talentosa do que ele.

* * *

9 horas – Recebo uma carta bacana de Helen Gurley Brown perguntando se eu posaria para as páginas centrais da revista *Cosmopolitan*. Rio e mostro o bilhete para Blanche Sprague, minha vice-presidente executiva de vendas, que havia dado uma passada pelo escritório. "Talvez eu deva aceitar", digo, meio de brincadeira. "Afinal, é uma espécie de homenagem."

Blanche me olha como se eu estivesse louco. Essa é uma mulher que não tem papas na língua. Muitas vezes digo que ela é a língua definitiva de Nova York. "É essa a sua ideia de *homenagem*?", pergunta ela.

Só para provocá-la, coloco a carta de lado como se ainda estivesse pensando no assunto. Mas no dia seguinte peço a Norma para redigir uma resposta dizendo que infelizmente não poderei aproveitar a oportunidade.

11h30 – Reúno-me com uma equipe de arquitetos para falar sobre a restauração do salão de festas do Plaza Hotel. Quero algo de primeira classe, informo – repintar os frisos com ouro de verdade e no geral resgatar o aspecto luxuoso que o Plaza tinha quando foi inaugurado, em 1907. Eles ouvem, assentem com a cabeça e depois dizem que seus honorários são de 4% do custo da restauração.

Para mim, parece uma forma ridícula de fazer negócios. "Esperem aí", digo. "Suponhamos que vocês recomendem ônix em vez de ladrilhos para o piso. Ônix é vinte vezes mais caro. Por que devo pagar milhares de dólares a vocês apenas por dizer 'ônix', em vez de 'ladrilho'? Para mim, não faz sentido."

"Mas, Sr. Trump", gaguejam. "É assim que funciona."

"Desculpem-me", digo, "mas acho que não."

No final contratei esses arquitetos para o Plaza, mas trabalharam por honorários fixos.

14 horas – Um amigo telefona e começa a tecer elogios a seu *personal trainer*. Eu deveria contratar esse cara para vir todas as manhãs, diz ele, e me botar numa malhação pesada.

Digo não, obrigado. Acho chato fazer exercícios. Não tenho paciência. Recorro ao golfe, um pouco de tênis e caminhadas para me manter em forma. E acho que funciona, pelo menos até certo ponto. Às vezes, se estou indo até meu apartamento na Trump Tower para ver meus filhos ou por algum outro motivo e me dá vontade, subo os 68 andares pela escada. Ainda consigo fazer isso sem ficar muito ofegante.

16 horas – Estou preparando um negócio, e os telefonemas agora estão esquentando e aumentando. Ao mudar de uma linha para a outra, me ocorre que provavelmente seria fisicamente impossível atender ou fazer mais telefonemas em determinados momentos do dia.

Acho que controlar o fluxo telefônico é uma arte. A primeira coisa a se lembrar é de manter a conversa curta. Caso limite seus telefonemas a trinta segundos ou menos, como eu tento fazer, você não só dá o seu recado com mais firmeza, como também consegue começar e concluir uma conversa enquanto sua secretária está fazendo uma nova ligação.

Outra coisa que economiza tempo é fazer aqueles telefonemas só para manter contato na hora do almoço, quando é quase certo que as pessoas para as quais se telefona não vão estar no local. O que eu faço – especialmente com pessoas a quem quero dar uma atenção, mas com as quais não preciso realmente conversar – é deixar recados dizendo que Donald Trump ligou para dar um alô, mas que não é preciso ligar de volta. Dessa forma, em uns dez segundos, consigo realizar quase a mesma coisa que faria em uma conversa fiada de cinco ou dez minutos com alguém.

Todavia, a verdadeira chave é ter uma boa secretária. Você tem que ter alguém que aja em frações de segundo, que seja capaz de perceber quando sua conversa está terminando, a importância das várias pessoas e quantos níveis de recepcionistas e secretárias cercam cada pessoa da sua agenda telefônica. Embora eu não use, creio que possa ser útil ter uma campainha para avisar a pessoa que está fazendo suas ligações para começar a discar a próxima.

Sei que pode parecer tolice. E não estou dizendo que seja a melhor forma de viver. Mas, se você vive no mundo dos negócios, com toda certeza ajuda muito fazer a máxima quantidade de telefonemas nos momentos cruciais.

* * *

9h30 – Recebo um telefonema de Guido Civetta, empreiteiro que contratei para colocar as fundações do Trump Palace, um condomínio de 56 andares que estou construindo na Rua 69 com a Terceira Avenida. Em geral, quando alguém assim liga, é para falar de um problema ou atraso; portanto, me preparo para gritar. Mas, um minuto depois, fico chocado ao ouvir Guido informar que as fundações estão prontas dois meses antes do prazo.

É uma ótima notícia, claro. A rapidez não apenas reduzirá em muito o custo do contrato, como também permitirá que eu tenha o prédio desejado. Um motivo da minha pressa para concluir as fundações é que a cidade estava pensando seriamente em mudar o zoneamento no East Side de Manhattan. Se fizessem isso, eu seria forçado a diminuir o tamanho do prédio consideravelmente. Mas, como a fundação está feita, automaticamente tenho assegurado o direito aos antigos limites mais generosos de zoneamento.

Guido está orgulhoso do seu feito, com toda a razão. Agradeço muito e, quando estávamos prestes a desligar, pergunto: "A propósito, qual é o carro da sua esposa?".

"Um Cadillac", diz Guido, "mas logo terei que comprar um novo, pois está ficando meio velho."

"Não se preocupe, Guido", digo a ele. "Só me diga a cor que quer, e será entregue na sua casa hoje à tarde."

11h30 – Participo de uma coletiva sobre o Tour de Trump, uma competição de ciclismo que patrocino. Enquanto estou no palanque, um repórter pergunta a Greg LeMond – grande ciclista americano e bicampeão do Tour de France – se ele considera os adversários seus amigos. "Oh, claro que sim", responde Greg com alegria.

Ouvindo isso, percebo que o ciclismo deve ser muito diferente dos negócios. Não consigo imaginar quaisquer circunstâncias em que consideraria um dos meus concorrentes como amigo.

19h30 – Vou jantar com alguns amigos chegados no Le Cirque, um dos restaurantes mais badalados e exclusivos de Nova York. O salão está repleto de gente de muito sucesso de várias áreas; todos agem de modo bastante *blasé* por estar na presença uns dos outros – Nova York é uma cidade que não se impressiona facilmente com ninguém. Aí entra Richard Nixon, acompanhado do velho amigo Bebe Rebozo. O restaurante cai em silêncio, e as cabeças se voltam para olhar.

Por um longo instante, é como se nada acontecesse, e ninguém se mexe. A reação, me parece, é um tributo silencioso à resistência.

O incidente me faz lembrar de uma ocasião não muito distante, quando voltei com o ex-presidente no meu avião de um evento de caridade no Texas. Barbara Walters, uma grande amiga, veio junto.

Durante o voo para Nova York, Nixon passou várias horas contando histórias fascinantes sobre eventos e política mundiais. No início da viagem, Barbara ficou empolgada com a possibilidade de capturar algo dessa faceta de Richard Nixon – relaxado e falando de modo espontâneo – para o seu programa *20/20* ou quem sabe um de seus especiais.

"Sr. Presidente", perguntou ela, "por que não aparece na ABC e me deixa entrevistá-lo? Esse assunto é muito interessante."

Nixon agiu como se tivesse algum problema auditivo e se recusou a responder ou até mesmo admitir ter ouvido a pergunta.

Isso naturalmente levou Barbara a repetir: "Sr. Presidente, adoraríamos fazer algo com você".

Mas Nixon de novo continuou falando, como se ela não tivesse dito nada. "Quando estive na China...", disse ele, começando outra história a cada vez que ela perguntava sobre uma entrevista.

Barbara e eu ficamos aturdidos com a reação – ou falta de reação – de Nixon; depois de quatro ou cinco tentativas, ela enfim desistiu e parou de perguntar. Só depois Barbara ficou sabendo que havia anos Nixon considerava a ABC uma de suas piores críticas e que ficou especialmente perturbado pelo fato de a rede de Barbara na época estar planejando exibir a minissérie *The Final Days*, uma visão não muito lisonjeira do final de seu governo.

Quando eu soube disso, percebi que o ex-presidente tinha tratado do assunto no verdadeiro estilo nixoniano. Em vez de hesitar ou mesmo dizer não, foi além, recusando-se até a ouvir o pedido.

Vi alguns verdadeiros portentos na minha área de trabalho, mas Richard Nixon faz todos parecerem bebês. O homem é uma rocha, gostem ou não, e, quando se pensa de onde ele voltou e nas coisas que aguentou, é ainda mais impressionante.

* * *

10 horas – Haverá um grande desfile de moda no Plaza, mas acabei de saber por um dos meus funcionários que um estilista importante decidiu apresentar sua nova coleção em outro lugar. É o único estilista a cair fora e retirar seu desfile do Plaza; para ser franco, isso me irrita um pouco – em especial porque certa vez, em uma situação de verdadeira emergência, ele não hesitou em ligar para mim.

Refiro-me a um incidente há alguns anos. Certa vez, muito tarde da noite, o telefone tocou no meu quarto em Nova York e era o estilista, que eu então considerava um amigo. Foi pouco antes de ele entrar em tratamento por abuso de drogas. Foi uma conversa muito estranha.

"Aguente firme", disse. Pedi para meu pessoal ir lá depressa e levar o estilista para o hospital mais próximo. Horas depois, liguei para saber como ele estava, e a enfermeira disse: "Se vocês não tivessem trazido o paciente tão rápido, teria sido tarde demais".

O estilista nunca agradeceu por eu tê-lo ajudado naquela noite. Aprendi que algumas pessoas têm uma definição estranha de gratidão.

10h30 – Recebo um telefonema de Richard Wilhelm, vice-presidente e gerente-geral do Plaza. Kitty Dukakis, diz ele, fez *check-in*. Será que eu poderia ligar para a suíte e dar boas-vindas a ela?

Estou certo de que a Sra. Dukakis é uma mulher adorável e corajosa, e sei que o toque pessoal é importante no ramo hoteleiro. Mas ficar de conversa fiada e ser o recepcionista oficial são duas das coisas que menos aprecio.

Adio o telefonema por algumas horas, na esperança de que a obrigação simplesmente suma. Quando enfim ligo para ela, Kitty Dukakis revela-se uma senhora graciosa que tem algumas perguntas sobre a restauração do Plaza. Aquilo que eu vinha adiando acaba se transformando em dois minutos agradáveis.

11 horas – Um representante de Sarah, a duquesa de York, liga para perguntar se ela pode usar meu helicóptero na próxima visita a Nova York. Não me surpreendo. Meu helicóptero foi construído na França, de acordo com os mais altos padrões militares. Tem fama de ser um dos helicópteros mais seguros e suaves. Quem dera meus amigos Steve, Mark e Jon tivessem voando nele, e não no Agusta alugado que os levou à morte.

Digo ao homem no telefone que ficarei honrado se a duquesa usar meu helicóptero.

Meio-dia – Leio no jornal sobre uma jovem que foi estuprada, espancada e jogada do alto de um cortiço no Brooklyn. Foi um milagre ela ter sobrevivido. O incidente tem menos repercussão do que o infame caso da corredora do Central Park, mas de certa forma é incrivelmente parecido, exceto por um detalhe. A vítima nesse caso é uma mulher pobre e negra que, a julgar pelas notícias, tem enormes contas hospitalares e provavelmente, pelo menos de momento, não está em condições de pagá-las.

Talvez por eu ainda estar furioso com o caso do Central Park, isso me deixa louco. A primeira coisa que faço é providenciar o pagamento das despesas da mulher até ela estar recuperada. Contribuo todos os anos com uma quantia considerável para várias instituições de caridade e sinto necessidade de ajudar essa mulher em especial.

A próxima coisa que decido fazer é ir até o Kings County Hospital, onde a mulher está internada. Quero conhecê-la, dizer que a considero muito corajosa e também chamar a atenção para o fato de que o crime não é uma questão racial. Sei muito bem que as pessoas dos bairros carentes são muito mais vitimadas pela criminalidade do que as outras.

Meu plano acaba dando certo – pelo menos a imprensa apareceu, e acho que demos o nosso recado. *Sei* que impressionei meu motorista, que estava ficando cada vez mais perdido até eu perceber o que estava acontecendo e dar umas rápidas indicações que nos levaram direto ao hospital. Cresci e passei bastante tempo no Brooklyn, conheço as ruas.

23h45 – Estou vendo um cara no *Tonight Show*. É um ator que admiro há anos pelos papéis de durão. Mas lá está ele, na frente de milhões de pessoas, contando uma história muito conhecida sobre depressão, drogas e bebida. Ele diz que, depois de chegar ao auge, passou vários anos em uma espécie de névoa, sentindo-se culpado pelo sucesso e tentando destruir a si mesmo e tudo que havia conquistado com seu trabalho.

Talvez ele tenha obtido algo despindo a alma desse jeito na TV. Com certeza virou moda as pessoas famosas mostrarem suas fraquezas. Minha reação, no entanto, é mudar ligeiro para o canal de Ted Turner, que não exibe nada além de filmes antigos, do tempo em que Hollywood sabia oferecer heróis e glamour para o público.

* * *

10 horas – Está na hora da reunião semanal sobre o projeto Trump City, que estou planejando construir nos terrenos da ferrovia no West Side. Mas, como sempre, não estarei lá.

Embora ainda se esteja trabalhando muito no projeto, coloquei a Trump City de lado por um tempo, pelo menos na minha cabeça. O motivo é simples: quero que esse projeto seja espetacular, talvez minha realização máxima como construtor. O que não quero que seja é uma série de acordos e concessões que não sirvam para competir com o desenvolvimento urbano da orla de New Jersey, um projeto que está sugando o sangue da cidade de Nova York.

Enquanto isso, as reuniões continuam. Anthony Gliedman – um ex-comissário de Nova York que tirei de Ed Koch – estará lá, na sala de reuniões no final do corredor do meu escritório. Como sempre, vão discutir o que está acontecendo com o terreno de 78 acres que pretendo transformar em um complexo residencial e comercial, incluindo o prédio mais alto do mundo.

Para conseguir o que quero em termos de zoneamento e aprovações, sei que tenho que ser paciente, esperar que o pêndulo oscile e que os tempos voltem a ficar difíceis como eram em meados da década de 1970. Se você olhar ao redor, em Nova York e nas outras grandes cidades do país, verá que isso já está começando a acontecer. Portanto, vou apenas aguardar até a cidade concluir que realmente precisa dos impostos, das moradias e dos bilhões de dólares de renda que a Trump City vai gerar – e aí começarei a tornar o projeto realidade.

Os grupos comunitários que se opõem ao projeto alegam que estão lutando para preservar a região, mas na verdade a maior parte deles luta pela luta em si. Se eu estivesse construindo uma grande reserva florestal no terreno, estariam passando um abaixo-assinado. O que acontece é que essas pessoas são egoístas, não querem compartilhar o que têm com ninguém. Dizem que o West Side não comporta mais gente. Isso é bobagem. O fato é que havia mais gente vivendo naquela área nos anos 1940 do que hoje. Outra coisa que não percebem é que a Trump City será uma obra-prima da arquitetura, uma das coisas mais empolgantes que terá acontecido a Nova York em várias décadas.

A meu ver, tenho a verdade e a beleza do meu lado. Portanto, tudo o que tenho que fazer é ter paciência, e vencerei.

18h30 – No noticiário, vejo cenas dramáticas do furacão Hugo devastando Porto Rico. Recebo uma ligação de Andrew Stein, presidente do Conselho da Cidade de Nova York, que me diz ter um plano de ajuda.

"Donald", ele sugere, "por que não damos alguns telefonemas para ver se conseguimos que alguns dos nossos amigos doem comida e outros suprimentos de emergência para auxiliar no socorro? Você também poderia emprestar um avião da Trump Shuttle para levar tudo quando estiver pronto?"

Gosto da ideia, e alguns dias depois Andrew, sua esposa, Lynn, e o vereador do Bronx José Rivera voam para Porto Rico com água engarrafada, geradores de energia, roupas e outros itens de primeira necessidade.

* * *

8h30 – Saio para visitar um complexo para idosos de 298 unidades que tenho em East Orange, New Jersey. Construí o Pavillion, como é chamado, com meu pai pouco tempo após ter me formado em Wharton, em 1968, e, para ser totalmente honesto, tem zero significado econômico para mim. Mas acho que nunca venderei o complexo. Gosto das pessoas de lá e gosto de administrar aquilo melhor do que qualquer um. Não o considero diferente de nenhuma das minhas propriedades. Administro-o como se fosse um prédio superluxuoso, e os idosos de lá parecem gostar disso.

11 horas – O fotógrafo de uma revista vem ao escritório para fazer uma foto de capa comigo e três das minhas vice-presidentes executivas – Barbara Res, Blanche Sprague e Susan Heilbron. Estou no meio de umas seis transações; por isso não fico exatamente satisfeito com a interrupção. Mas, em retrospecto, gostei de ter reservado tempo para posar. Owen Edwards, o redator incumbido do artigo sobre as mulheres da minha organização, acertou. "Donald Trump (...) tem investido seu dinheiro nas mulheres constantemente", escreveu Edwards, "apostando que se sairão bem em situações nas quais o fracasso custaria caro. E tem feito muito mais do que muitos empresários que falam muito, mas mantêm seu círculo próximo tão masculino quanto um grupo de caçada ao leão do povo massai."

Não sou defensor do feminismo, mas também não sou contra. Apenas não dou bola para o gênero da pessoa quando contrato e delego atribuições.

14 horas – Vou para a Califórnia anunciar, em uma coletiva de imprensa, a compra do terreno do Ambassador Hotel em Los Angeles. É meu primeiro projeto na Costa Oeste, e não vai ser fácil. O Ambassador em si é um troço caindo aos pedaços que fechou há um ano, após um longo período de declínio. Quero demolir a estrutura e substituí-la por um deslumbrante complexo comercial e residencial bilionário que será uma espécie de Trump City da Costa Oeste.

Sei que haverá resistência, quanto mais não seja porque o hotel foi palco de um acontecimento histórico: o assassinato de Robert Kennedy. Para mim, contudo, não é motivo bom o bastante para que os habitantes da cidade continuem convivendo com uma estrutura insegura e antiquada que estraga a paisagem. Como disse no anúncio que preparei, quero substituir o Ambassador por "prédios de distinção arquitetônica no verdadeiro estilo californiano". Será uma longa batalha para obter o zoneamento e as aprovações. Mas, como eu já disse antes, as batalhas com frequência são a melhor parte da vida.

* * *

8 horas – Estou de carro pela Terceira Avenida quando decido dar uma passada no canteiro de obras do Trump Palace. Provavelmente é a melhor zona do mundo para gente solteira, penso, mas aí olho para o prédio a um quarteirão de distância e vejo algo que não me agrada. Parece haver algo de errado com o terraço de concreto já erguido. Não muito errado, mas o suficiente para me fazer pegar o telefone e ligar para Blanche Sprague e Andy Weiss, que supervisionam a obra.

A primeira reação de Blanche é achar que estou louco. Ela diz que tinha acabado de voltar da obra e estava tudo bem.

"Ligue para o arquiteto", digo. "Tenho certeza de que ele vai ver o que estou falando."

Ela telefona e me liga em seguida para dizer que ele concorda com ela.

"Pois bem", digo "por que vocês dois não voltam aqui e verificam com o supervisor da obra?"

Algumas horas mais tarde, Blanche liga de novo. A inclinação do terraço estava torta por uns poucos centímetros, diz ela, mas *estava* torta. A equipe vai consertar aquele primeiro e garantir que o resto seja feito de acordo com as especificações.

Tenho uma vista boa, mas, acima de tudo, sei construir. É meu ponto forte e provavelmente o que sempre saberei fazer melhor. Pensei em entrar na indústria do cinema e da TV e no mercado editorial. Ainda posso vir a fazer uma dessas coisas ou todas elas. Mas para mim não há nada mais empolgante ou gratificante do que erguer um prédio.

14 horas – Chego a Atlantic City para uma coletiva de imprensa em que se anunciará uma série de shows dos Rolling Stones no Trump Plaza – e minhas ilusões sobre esse grupo de rock se despedaçam rapidamente. Sempre fui fã da música deles e no futuro talvez ainda seja. Mas nesse dia os Stones me deram a impressão de ser um bando de babacas, para dizer o mínimo.

O problema básico é que eles não são as únicas estrelas do show, como têm sido na maior parte da sua vida "adulta". Nesse momento a imprensa está alucinada com a guerra dos Trump, e mal ponho o pé na sala começam a fazer uma série de perguntas sobre minha recente separação de Ivana. Quando os Stones percebem o que está acontecendo, mandam avisar que se recusam a aparecer para falar sobre os shows. "Toda essa comoção é perturbadora para Mick e os rapazes", diz um dos funcionários deles.

Em vez de provocar uma cena, decido me retirar e deixar o palco só para os Stones, já que é tão importante para eles. No entanto, ao sair passo por eles no corredor, e é uma visão triste. Nunca os tinha visto tão de perto, e me dou conta de que os anos de vida dura transparecem nos rostos deles, pálidos e muito desfigurados para a idade. (Penso que não é de espantar que usem montes de maquiagem e insistam que a iluminação também seja pesada.) Guarda-costas os cercam por todos os lados – um bando de caras surpreendentemente franzinos, maldosos e grosseiros que empurram e maltratam pessoas que nem estão no caminho deles. Quando passo rápido por eles, Mick Jagger me chama, estende a mão e abre um sorriso falso. Continuo andando.

22 horas – Estou em um jantar no apartamento de Adnan Khashoggi em Nova York, e ouço a conversa dele com uma bela mulher.

"Você deveria se tornar muçulmana", diz ele, flertando. "Aí eu poderia torná-la uma de minhas mulheres."

"Acho que esse tipo de arranjo não me agrada" diz a mulher, rindo.

"Ah, mas você não entendeu", diz ele. "Onde há muitas esposas, também tem de haver muito amor."

Ela ri de novo e muda de assunto. Ocorre-me que Khashoggi é incontrolável. Nesse momento sua fortuna diminuiu considera-velmente, e ele aguarda julgamento por acusações de corrupção referentes ao relacionamento com Ferdinando e Imelda Marcos. Porém, em meio a tudo isso, ele continua o mesmo sujeito bacana, sorridente, oferecendo jantares e conversando com mulheres bonitas. Impressionante. (No fim das contas, ele consegue escapar impune com total elegância e estilo.)

* * *

9 horas – Num momento em que todos os dias aparecem manchetes sobre minhas dificuldades financeiras e estou em negociações com banqueiros, começo a receber cartas de pessoas oferecendo apoio. Algumas contêm cheques de cinco ou dez dólares. Devolvo o dinheiro, é claro, com um bilhete. Mas acho o gesto realmente comovente.

A maioria dos telefonemas que recebo também é gentil, mas não posso deixar de notar que algumas pessoas ligam mais para beneficiar a si mesmas do que a mim. Imagino que estejam tentando sentir que fizeram a boa ação do dia. Mas, sempre que me pego em uma conversa dessas, reviro os olhos e penso: "Lá vamos nós de novo".

11 horas – Visito o Winged Foot Country Club no condado de Westchester, em Nova York. Adoro golfe e, quando me associei ao Winged Foot, em meados da década de 1970, ia lá com frequência e vim a conhecer alguns membros bastante bem. Contudo, ao ficar cada vez mais ocupado, ficou cada vez mais difícil ir lá. Essa talvez seja a minha primeira visita em oito ou dez anos.

O Winged Foot em si parece virtualmente igual, com o gramado verde luxuriante e a linda sede, e vê-lo me traz muitas recordações boas.

"Como vai Ben Allen?", pergunto a um empregado do clube. Lembro de Ben como um homem bonitão e vibrante de quarenta e poucos anos.

"Sinto dizer, Sr. Trump", responde o empregado, abaixando os olhos, "mas o Sr. Allen morreu há uns três anos."

Pergunto sobre um outro sócio, um cara que sempre foi uma excelente companhia e um golfista fabuloso.

"Oh, está com problemas sérios", é a resposta. "Na verdade, foi para o hospital nesta manhã para ser operado de um câncer."

Não muito depois disso, um senhor bastante idoso vem a mim em passos trôpegos e estende a mão trêmula. Quando diz seu nome, mal posso acreditar. Na época em que comecei a frequentar o Winged Foot, ele me impressionou como um cara cortês e muito alinhado, como eu gostaria de parecer na velhice. Mas, como um maratonista que de repente "bate no muro" e começa a cambalear, esse homem parece ter sucumbido de uma só vez a todos os sintomas da idade avançada.

Minha ida ao Winged Foot acabou sendo um lembrete severo de que tudo muda, gradualmente ou – como no caso dos meus amigos Steve, Mark e Jon – num piscar de olhos.

PARTE 2

5

RESORTS INTERNATIONAL AS NEGOCIAÇÕES COM MERV

Merv Griffin acabou se tornando um amigo fiel. Sei que ultimamente anda por aí dizendo a todo mundo: "Vejam Donald fazer os céticos engolirem o que dizem". Gente como ele é rara. Mas Merv e eu já fomos rivais implacáveis nos negócios. Na verdade, sempre achei que a negociação da Resorts International foi a mais estranha que já fiz. Está indo muito bem para mim; todavia, revendo todo o episódio, ainda não sei ao certo por que Merv quis fazer negócios comigo, para início de conversa.

Quando atraiu minha atenção, a Resorts era uma companhia de capital aberto que, sob o comando de seu fundador, Jim Crosby, teve sucesso durante algum tempo no ramo de hotéis-cassinos. Uma de suas operações era em Paradise Island, nas Bahamas. No entanto, ficou famosa por ter o primeiro cassino pronto para os clientes quando o jogo chegou a Atlantic City, em 1977. Numa época em que empresários mais cautelosos não investiam em terrenos e prédios até ver se a legislação de New Jersey aprovaria o jogo na região, Crosby – um irlandês rude, esperto e fumante inveterado – comprou muitas propriedades barato, na esperança de que a lei seria aprovada. Ele ganhou a aposta – e ganhou muito.

Naqueles primeiros dias da volta do jogo a Atlantic City, os apostadores faziam filas que se estendiam por quarteirões para entrar no Resorts. Era basicamente o mesmo Haddon Hall que existia desde a década de 1920, um hotel envelhecido, com mesas de feltro verde e caça-níqueis. Mas ninguém ligava, porque os que queriam jogar não tinham outra opção. Durante muitos meses, o Resorts foi o único local de jogo da cidade.

Uma coisa que Crosby fez com os enormes lucros obtidos durante esse período foi levar Julio Iglesias, Rodney Dangerfield, Don Rickles e outros favoritos da turma do cassino, fechando contratos exclusivos de longo prazo. Foi uma jogada esperta, que lhe garantiu vantagem competitiva em termos de entretenimento por muitos anos. Sua outra grande decisão – tomada anos depois, após centenas de milhões em lucro encherem os cofres do Resorts – foi começar a construir um hotel-cassino fantástico e ultramoderno que se chamaria Taj Mahal.

Me alegra ele ter feito isso. Mas tenho fortes suspeitas de que, quando deu início à construção do projeto, Jim Crosby não tinha ideia do que o esperava.

Com um custo inicialmente estimado em US$ 400 milhões, o Taj seria o maior hotel-cassino não apenas de Atlantic City, mas provavelmente do mundo. Só que ninguém sabia ao certo quão grande seria. Por incrível que pareça, a obra começou antes que a inexperiente unidade interna de construção terminasse o projeto. Já ouvi falar de custos descontrolados e obras atrasadas, mas esse era um projeto sem orçamento ou cronograma reais.

Na verdade, com ou sem plano, não era um bom momento para a Resorts empreender um projeto tão imenso. Havia muita coisa acontecendo com a companhia, e praticamente tudo era ruim. Crosby ficou cada vez mais doente e por fim morreu do coração. A operação da Resorts em Atlantic City, outrora o principal cassino em termos de lucro, havia ficado para trás. A operação em Paradise Island também não estava nada espetacular.

Enquanto isso, o Taj tinha se tornado um estorvo. A construção havia sido prorrogada, e as reservas para convenções haviam sido aceitas e canceladas tantas vezes que as pessoas do ramo de viagens davam risadinhas cada vez que outra "grande inauguração" era anunciada. Alguns dos empreiteiros contratados pela Resorts ainda circulavam pelo enorme esqueleto da estrutura, fazendo um servicinho elétrico aqui ou colocando um reboco ali. Mas basicamente o Taj apenas se situava na Boardwalk como um monumento de primeira grandeza à má gestão – e à dificuldade de se realizar um sonho verdadeiramente grande.

Àquela altura era fácil tachar a Resorts de desastre total. A maioria das pessoas tachou. Mas isso só incitou meu interesse pela companhia, e comecei umas pesquisas. Também contatei alguns membros importantes da família Crosby e comecei a conversar com eles, de forma muito preliminar, sobre a possibilidade de eu assumir o controle da Resorts. É verdade que a companhia estava em péssimo estado, mas no mundo dos negócios a catástrofe de um homem muitas vezes é a oportunidade de outro. Para mim, concluir o Taj era a oportunidade de criar o hotel-cassino mais magnífico de Atlantic City – ou talvez do mundo.

Uma coisa que descobri quando comecei a examinar a possibilidade de comprar a Resorts foi que Jack Pratt, presidente da Pratt Hotels Corporation, tinha ligado para a companhia logo após a morte do fundador. A família Crosby, que manteve o controle da empresa, queria vender tão logo fosse possível. Mas a negociação com Pratt empacou.

Marvin Davis também abordou a Resorts nessa época. A proposta complicada que fez lhe permitiria pegar a operação de Paradise Island e deixar a companhia com todos os outros problemas. O conselho da Resorts rejeitou o plano de Davis como inadequado aos interesses da empresa.

Pessoalmente, considerei a negociação com a família Crosby uma experiência agradável. Eram pessoas totalmente honradas. Tão logo expressei meu interesse pela Resorts, esqueceram-se de Davis e Pratt e começaram a trabalhar comigo para encontrar um jeito de fazer a transação acontecer. Afinal, eu tinha os meios para tirar a companhia problemática das mãos deles e o desejo de salvar os planos e sonhos grandiosos de Jim Crosby. E isso numa época em que a família não era exatamente assediada com ofertas viáveis.

Era fácil de ver por que o mundo não estava batendo à porta do Resorts. A empresa era incomum sob vários aspectos. Primeiro, havia a estrutura acionária A-B. Muito antes de eu aparecer, a Resorts havia implantado um sistema envolvendo duas classes de ações. As ações de classe A eram negociadas publicamente e, como qualquer ação, representavam o capital da companhia. Mas as ações de classe A tinham pouco poder de voto. As ações de classe B, por outro lado, constituíam menos de 10% do capital da companhia, mas tinham superioridade de voto de cem para um sobre as ações de classe A. Basicamente, isso significava que, por possuir quase todas ações B, a família Crosby podia controlar a companhia sem precisar comprar a maioria das ações restantes.

Meu interesse era gerir a Resorts, não apenas investir. Por isso eu queria as ações B. Depois de negociar com os representantes da família Crosby, organizei a compra de cerca de 750 mil ações de classe B, ou uns 90% do que estava disponível, por US$ 135 dólares a cota. Era muito acima do valor de mercado das ações A, mas eu estava pagando um prêmio para ter o controle de voto. Como CEO da Resorts, eu ainda teria que responder a um conselho diretor, metade dele alheio à Organização Trump. Mas instintivamente considerei o acordo – de pouco mais de US$ 100 milhões – decente.

Comparado ao que teria sido anos antes, o preço parecia uma pechincha. Mas em 1987 a Resorts ostentava pouca semelhança com a companhia existente anos antes de Crosby morrer. Na época, o relatório anual mostrava US$ 300 milhões no caixa e nenhuma dívida. Quando assumi, a companhia tinha US$ 740 milhões de dívidas e pouco caixa.

A guinada de mais de US$ 1 bilhão pode ser atribuída a vários erros. Jim Crosby, um empresário que devia muito do sucesso aos cassinos, ficou obcecado por imóveis, investindo imensas quantias na aquisição de propriedades minúsculas e superfaturadas em todos os cantos de Atlantic City. Também se entregou à paixão pela aviação de várias formas dispendiosas. Uma má jogada envolveu a compra de ações da Pan Am em época das mais inoportunas; no fim a companhia teve de vender suas ações com uma perda de US$ 50 milhões. Mas esse investimento parece sólido se comparado à participação de US$ 50 milhões em uma frota de hidroaviões especialmente equipados que deveriam tirar água de rios e lagos para lançar sobre incêndios florestais. Crosby chamou esses aviões de Albatrozes, e com razão. Durante anos, os aviões ficaram simplesmente enferrujando em algum lugar do deserto do Arizona, e ainda estavam lá da última vez que ouvi falar deles.

Crosby, outrora um investidor brilhante, também perdeu uma fortuna no mercado de *commodities*, e mais US$ 30 milhões no que deveria ser uma criação de camarões ultramoderna. Mas o que realmente partiu meu coração, como construtor e empresário, foi o que aconteceu com o Taj.

Ao repassar seus registros e planos parciais, pude ver que Crosby ousara sonhar com uma das estruturas mais fantásticas que o mundo já vira. A ideia era de tirar o fôlego, mas colocá-la em prática era outra história. Quando assumi o controle da companhia, quase US$ 500 milhões já haviam sido gastos, e o Taj não estava nem perto da conclusão.

Os arquivos contaram uma história de dinheiro acabando e medo se instaurando. O tamanho do cassino do hotel, por exemplo, foi alterado várias vezes, de onze mil metros quadrados para 5,5 mil e depois para nove mil, à medida que o pessoal da Resorts perdia a confiança em seus instintos e começava a mudar de ideia frequentemente sem motivo sólido.

No começo, tudo era de primeira classe no Taj. No entanto, com o passar do tempo, houve muitos cortes e concessões autodestrutivos. Os últimos planos previam um cassino drasticamente enxugado e a eliminação total das suítes luxuosas para grandes apostadores, necessárias para atrair esses frequentadores essenciais. Luminárias cafonas substituiriam os candelabros e, em vez de lindos espelhos biselados nas paredes, a Resorts previa forros baratos de vinil. Ainda mais incrível era a decisão de abrir apenas dois dos doze restaurantes propostos. Isso significava que um hotel que se promovia como o máximo em luxo e comodidade não teria nem sequer um lugar onde as pessoas pudessem comer confortavelmente.

Eu sabia que aprumar o Taj exigiria enormes quantidades de tempo, energia e habilidade, para não falar na minha capacidade de assegurar financiamento adicional. Não duvidei nem por um instante de que poderia botar o lugar em funcionamento. O que eu não conseguia ver era como, na minha condição de presidente assalariado da Resorts, eu poderia ser justamente recompensado por transformar um desastre já legendário em uma vitória.

Minha solução para esse problema foi pedir ao conselho da Resorts um contrato de gestão. De acordo com meu plano, a Organização Trump receberia 3% dos custos de construção do Taj e 1,75% da receita bruta da Resorts, bem como cerca de 15% dos lucros. Em deferência à má situação financeira da companhia, eu disse que renunciaria a qualquer pagamento do contrato até o Taj estar concluído e gerando caixa.

Como era uma ideia incomum que envolvia números potencialmente grandes, eu sabia que o contrato de gestão precisaria ser aprovado por todos os diretores de fora, bem como pelos especialistas financeiros e legais independentes. Mas decidi ser ousado e apresentar a proposta assim mesmo. Caberia a eles então decidir se eu era digno de crédito.

Não foi uma surpresa os diretores de fora e seus especialistas debaterem a ideia e depois debaterem mais um pouco. Na verdade, analisaram a proposta à exaustão. Aprovaram-na, e ela foi enviada à Comissão de Controle de Cassinos para mais discussão. Em resumo, um conjunto de cabeças fazendo o que sempre faziam. Nesse ínterim, eu sabia que, para a Resorts sobreviver, era melhor eu me apressar e fazer o que faço. Isso significava conseguir um empréstimo de US$ 125 milhões de um banco de New Jersey, que provavelmente nem consideraria tal financiamento se eu não estivesse na jogada. Precisava também tratar depressa de um assunto técnico – aparentemente ignorado pela antiga gestão da Resorts – que teria posto a pique toda a construção do Taj.

Ao examinar a papelada referente ao projeto, meu irmão Robert e Harvey Freeman descobriram que metade do terreno debaixo do hotel era considerada área de reurbanização. Conforme o acordo firmado com a Resorts, aquela fatia de terra reverteria ao Departamento de Habitação de Atlantic City caso a construção do Taj não estivesse finalizada até fevereiro de 1988. Embora a Resorts obviamente fosse exceder, e muito, esse prazo, ninguém da companhia havia sequer solicitado uma reunião com a prefeitura para discutir uma prorrogação. Além disso, a Resorts tinha conseguido se enredar em um processo contra o governo local referente a outro assunto. Evidentemente era hora de começar a conversar com as autoridades da cidade. Depois que sentamos e explicamos nossa situação, o pessoal do departamento de habitação ficou tão chocado quanto eu ao tomar conhecimento do caos na companhia. Em questão de dias, concederam uma prorrogação do acordo original.

Adorei a ideia de poder adentrar em um grande projeto de construção tão mal-acabado como o Taj e realizar melhorias imediatas. A planta do Taj, por exemplo, previa um elevador privativo que iria direto do grande apartamento de Crosby, no último andar, até o saguão. Era, suponho, o meio de um homem que queria manter distância da multidão de ir e vir sem sequer ver seus clientes. Também me pareceu um enorme desperdício de dinheiro e tempo de construção. Mantive o elevador, mas transformei o apartamento em uma sofisticada suíte de dois quartos, um local adequado para um jogador apto a ganhar ou perder US$ 4 ou US$ 5 milhões em um único fim de semana.

Passei então ao desastre seguinte – um conjunto de escadas rolantes estreitíssimas, construídas assim porque a gestão anterior acreditava que as pessoas não ficam lado a lado ao se deslocar entre os andares. "Talvez tenham razão", disse a Mark Etess, na época presidente do Taj. "Mas essas coisas parecem ridículas. Vamos arrancá-las."

Claro que qualquer um poderia ter demolido o lugar e começado tudo de novo. A chave era saber o que *não* mudar. Por exemplo, o Taj foi projetado inicialmente para ter um lindo cassino de onze mil metros quadrados, de longe o maior do mundo. Nenhum outro hotel em Atlantic City poderia oferecer tal espaço. Seria perfeito para acomodar enormes multidões que antes a cidade jamais poderia receber. Eu não alteraria isso por nada deste mundo.

"Taj Mahal" é um nome perfeito, pois sugere glamour e mistério em três suaves sílabas maravilhosas. Criar a imagem certa é a chave para o sucesso no ramo dos cassinos ou em qualquer outro, e esse processo vital começa pelo nome. Acrescentei "Trump" ao Plaza, ao Castle e ao Regency, pois sempre foi uma bela ferramenta de *marketing*. Mas escolha o nome errado e, não importa o que mais faça, você nunca terá sucesso.

Uma coisa que aprendi sobre a indústria da construção – e sobre a vida em geral – é que, embora *o que* você faz seja obviamente importante, o mais importante é *fazer alguma coisa*. Você pode desperdiçar um tempo enorme atormentado com o rumo a tomar, quando na verdade qualquer opção provavelmente é melhor do que continuar ponderando, o que só aumenta seu medo de cometer um erro.

Considere o exemplo do general George B. McClellan, comandante do exército da União no início da Guerra Civil. Sem querer macular seu histórico perfeito, McClellan fez infindáveis preparativos para a batalha, mas jamais esteve disposto a lutar. Isso lhe custou algumas vitórias essenciais e por fim o comando. "McClellanite" parece uma característica arraigada do ser humano. Pense em como os caras da Resorts vacilaram sobre o tamanho do cassino. Deveria ter 5,5 mil ou 7,5 mil metros quadrados? Logo que assumi, falei: "Vamos construir em onze mil metros quadrados – o máximo e o melhor". Fiz a coisa mais certa? Espero que sim, mas realmente não sei. O que sei é que determinar o tamanho do cassino em um hotel de categoria não é uma ciência exata. Tudo o que você pode fazer é decidir o que acha sensato – e depois avançar para o próximo desafio.

Ser decidido também motiva a tropa. Na minha área, muitas vezes a tropa são empreiteiros e suas equipes – um pessoal que normalmente não se impressiona muito, a menos que uma mulher bonita de saia justa passe por eles na hora do almoço. Quando assumi o controle da Resorts, todos os acordos prévios com os fornecedores de serviços foram automaticamente cancelados – o que na minha opinião foi perfeito. Eu queria zerar tudo e começar um novo relacionamento com eletricistas, marceneiros, gesseiros e outros operários que trabalhariam no Taj. Como meu pai era construtor, cresci no meio dessas pessoas e as conheço muito bem.

Os empreiteiros são uma raça à parte – extremamente malandros e independentes, com frequência mais ricos do que muitos financistas de Wall Street, mas interessados apenas em ter a maior casa da região deles, no Queens ou em Staten Island. Mostre um sinal de fraqueza a um empreiteiro forte e você não terá chance. Não se esqueça de que se trata basicamente da mesma turma que faz fortuna em Nova York construindo túneis de metrô na Segunda Avenida que não levam a lugar nenhum e cobrando "extras" que acabam custando milhões. Mas chegue neles com uma combinação de firmeza e justiça e terá sua construção conforme o planejado.

Eu soube que tinha feito um bom trabalho de seleção e motivação dos meus empreiteiros e operários quando visitei o canteiro de obra certa manhã e um deles gritou comigo, irado: "Pelo amor de Deus, Sr. Trump, olhe por onde anda, porra". De início não pude acreditar no que ouvi. Aí percebi que sem querer havia pisado em uma cantoneira do subsolo do cassino que ele tinha acabado de pintar. Em algumas obras que vi, os operários não davam a mínima para o que acontecia; estavam lá só para pegar o salário por hora. Mas esse cara tinha garra e orgulho. Ele se importava. E, se ele se importava, os outros provavelmente também. Nessas circunstâncias, palavrão é música para os meus ouvidos. Como disse Abraham Lincoln sobre o muitas vezes rabugento general McClellan: "Seguraria o cavalo dele com prazer, se ele apenas ganhasse minha guerra".

Em dezembro de 1987, vários meses depois de eu ter apresentado a proposta, o conselho da Resorts e a Comissão de Controle de Cassinos aprovaram meu contrato de gestão. Àquela altura eu já tinha tomado – ou modificado – todas as decisões essenciais. E a construção do Taj – enfim estabilizada em 370 mil metros quadrados, ou pouca coisa menor que o Pentágono – transcorria suavemente.

Eu deveria estar delirando de felicidade. Mas uma coisa me corroía, e eu sabia o que era: aquela rotina de presidente de uma companhia de capital aberto. Embora eu com certeza concordasse com a tese das corporações controladas por acionistas e estivesse completamente comprometido em cumprir meus deveres fiduciários, pessoalmente não gostava de responder a um conselho diretor. Poderia ter vivido com isso, mas o *crash* do mercado acionário em outubro de 1987 mudou o panorama financeiro por completo. De repente, as fontes de financiamento da Resorts secaram.

Concluí logo que a única forma de dar jeito na situação era comprar a maioria das ações A por meio de oferta com valor acima do mercado e privatizar a companhia. O preço a que cheguei, baseado em meu conhecimento da Resorts, foi de US$ 15 por ação. Já que as ações A eram negociadas por cerca de US$ 11,50 depois do *crash* do mercado dois meses antes, achei que era uma oferta razoável. Contudo, os diretores independentes da Resorts discordaram, e subimos o valor. Minha oferta final foi de US$ 22 por ação, quase o dobro do valor de mercado. Os diretores e seus conselheiros em assuntos financeiros e legais acharam justo.

Logo que você lança uma oferta pública de compra – especialmente quando envolve a privatização de uma companhia – muitas coisas começam a acontecer. É preciso preencher e enviar todo tipo de relatório da Comissão de Valores Mobiliários, ao mesmo tempo em que começam a pipocar, como já é previsto, processos de acionistas classificando a oferta de escandalosamente inadequada. Lembro-me de ter dito a Susan Heilbron, chefe do meu departamento jurídico e que cuidava de muitos de meus assuntos relativos à Comissão de Valores Mobiliários, que fiquei espantado com a rapidez com que as pessoas abriram processos e com a semelhança do palavreado nos documentos: "É porque se trata simplesmente de jargão legal armazenado em processadores de texto", disse ela. "Tão logo sai a oferta de compra, os computadores são acionados, e essas coisas saem automaticamente." (Que desgraça. Se os perdedores tivessem que pagar as custas legais neste país, a pilha de processos no Judiciário sobrecarregado seria reduzida em 75%.)

Contudo, logo ficou evidente que uma coisa era *incomum* na reação à minha oferta. Grande parte da interferência vinha de Merv Griffin. Naquela época, eu sabia apenas uma coisa sobre Merv: era um empresário que tinha vendido para a Coca-Cola os direitos de vários programas de TV produzidos por ele pela alardeada soma de US$ 250 milhões.

Embora, como disse, hoje considere Merv um amigo, meus contatos iniciais com ele não causaram grande impressão. Na verdade, foram uma coisa mais para não contatos. Em vez de ligar para mim diretamente, como um Carl Icahn ou um Bob Bass teriam feito em situação semelhante, e dizer "Olha, Donald, também quero a Resorts", Merv adiou um confronto de homem para homem. Preferiu falar por advogados.

Certo dia, o informativo do Dow Jones noticiou que Merv tinha aberto um processo questionando o sistema binário de ações da Resorts. Mais ou menos na mesma época, também fez um esforço sinuoso para forçar a companhia a lançar mais ações B, que ele pretendia comprar. Ganharíamos ambas as batalhas facilmente, disseram meus advogados. A Resorts não era a única companhia com sistema binário, e ninguém poderia nos obrigar a emitir ações. Mesmo assim, fui avisado de que, se Merv quisesse, poderia nos amarrar no tribunal e arruinar nosso cronograma do Taj.

Uma coisa que tenho de reconhecer é que Merv leva a sério o velho ditado do *show business* sobre superar-se sempre. A performance dele com certeza ficou mais louca à medida que avançava. Quando fez sua oferta pelas ações A da Resorts, o lance foi de US$ 35 por cota. Ou seja, US$ 13 a mais do que eu oferecia por uma ação negociada recentemente por cerca de US$ 11,50.

A essa altura, eu já estava sabendo que Merv era assessorado na negociação da Resorts por advogados de Nova York que não tinham nenhum interesse financeiro no sucesso do acordo. Estavam interessados em tentar combinar compradores e vendedores e ganhar uma comissão da parte que viessem a representar. Meu palpite é de que, para fazer a negociação andar, alguns dos conselheiros de Merv espertamente mexeram com o ego dele, dizendo que delícia seria roubar essa empresa de Donald Trump.

Mas, embora possa ter um palpite sobre por que os conselheiros teriam encorajado Griffin a prosseguir, até hoje não sei por que Merv ofereceu US$ 35 por ação da Resorts. Lembre-se: tudo de que precisava para me superar era oferecer US$ 23. Ou US$ 22,50. Como eu disse, normalmente tenho uma noção do que motiva o outro cara em uma negociação. Mas não entendia a jogada de Merv de ângulo algum. Embora eu realmente não seja litigioso de acordo com os padrões atuais, não tive outra opção a não ser processá-lo por interferir na minha oferta de compra. Merv respondeu me processando – uma reação esperada em tais situações.

Mais tarde naquele mesmo dia, liguei para Merv e fiz um convite cordial para que passasse no meu escritório da próxima vez que estivesse na cidade. Ele, parecendo igualmente afável, disse que por acaso estaria em Nova York dentro de alguns dias e gostaria de fazer isso. O tom jovial e descontraído de Merv ao telefone não me surpreendeu. Era parte da coreografia do negociador. Do meu ponto de vista, se ele quisesse adotar a postura e as manobras que parecem fazer parte até mesmo das transações mais banais de hoje, tudo bem.

Eu estava preparado para qualquer coisa – exceto a entrada de Merv em meu escritório. Embora muito mais gordo do que nos tempos da TV, parecia que havia acabado de sair do estúdio. Esperei que ele falasse alguma coisa, mas não; apenas ficou sentado, sorrindo e balançando a cabeça ao longo da hora seguinte, enquanto nos reuníamos a sós.

No segmento do programa *60 Minutes* que Mike Wallace posteriormente faria sobre a negociação, Merv disse que tinha usado com astúcia suas habilidades de apresentador de televisão para me fazer falar na nossa conversa inicial. Com certeza fui eu quem mais falou. E esperava que Merv tivesse escutado, porque ofereci uma avaliação honesta dos hotéis-cassino que ele tão desesperadamente cobiçava.

Falei que as unidades da Resorts em Paradise Island e Atlantic City estavam apenas tentando manter-se à tona. Para serem lucrativas, na minha opinião, precisavam de no mínimo US$ 150 milhões em melhorias. "Se quer assumir o controle", disse a ele, "deve se perguntar agora se está disposto a esse tipo de compromisso." O Taj, eu disse, era uma história bem diferente. Seria a instalação mais fabulosa do gênero. Mas será que Merv estaria preparado para investir outros US$ 600 milhões em um hotel que já tinha custado quase tudo isso ao antigo proprietário? Sendo alguém que nunca havia construído nada maior do que um cenário do programa *Wheel of Fortune*, ele se sentia preparado para lidar com empreiteiros, sindicatos, burocratas e políticos que se interpunham entre ele e o sucesso?

O que eu quis fazer foi mostrar a realidade nua e crua. Os fatos, nesse caso, falavam por si com eloquência. A primeira coisa que diziam era que a Resorts, da forma como constituída no momento, era um fardo enorme de se assumir. O Taj Mahal tinha afundado a administração em um lamaçal de dívidas, e lá estava, semipronto, esperando para afundar Merv. A outra verdade que desejei transmitir é que o desafio de concluir e gerir o Taj com sucesso era a única coisa da Resorts que realmente me interessava.

Pelo visto, fiz um bom serviço ao plantar essas sementes na mente de Merv. Quando enfim começou a falar, disse que o verdadeiro interesse *dele* era nos hotéis mais antigos, já estabelecidos. E indagou: como eu estava tão envolvido na construção do Taj, não seria possível fazermos um negócio no qual eu ficasse com o Taj e ele com o resto? Era exatamente o que eu queria, claro. Mas o que fez desse um grande momento para mim foi que o plano partiu de Merv, e fazia sentido. Eu queria terminar o Taj, e ele pelo visto queria administrar os hotéis mais antigos – algo que, para início de conversa, eu nunca quis.

Por fim, discutimos um plano de quatro pontos. Merv concordou em comprar minhas ações B por US$ 135 cada, e as ações classe A dos outros acionistas por US$ 36 cada. Também prometeu vender o Taj por US$ 230 milhões e pagar outros US$ 63 milhões por meu contrato gerencial com a Resorts.

Fiquei radiante – pelos meus acionistas, por mim e por Merv. Todos conseguiram o que queriam. Mas de novo fiquei desconcertado pelo preço que Merv parecia disposto a pagar. Digo "parecia" porque tudo o que tínhamos até então era um acordo de cavalheiros. E, nos meus momentos mais pessimistas, não via como Merv poderia analisar os números e não desistir. Não precisava ser um gênio para perceber que o cara estava pagando muito caro por alguns hotéis velhos.

Os meios de comunicação, no entanto, de algum modo conseguiram entender errado. É claro que tiveram uma ajudinha de Merv. Na verdade, Merv conseguiu convencer os representantes de alguns dos principais jornais que tinha, como adorava dizer, "triunfado sobre Trump", surripiando a Resorts debaixo do meu nariz. Merv ofereceu aos repórteres uma bela história sobre o cantor de orquestra que enfrenta o figurão de Nova York. E a imprensa engoliu.

Uma das coisas mais difíceis que já tive de fazer foi dizer "sem comentários" para o pessoal da imprensa que me questionou sobre a transação da Resorts nos seis meses anteriores ao fechamento. Estava louco para esclarecer tudo e pedir que *me* explicassem como Merv havia ficado com a melhor parte do negócio. Mas não podia entrar em detalhes sem pôr em risco as centenas de milhões de dólares que, se tudo ocorresse bem, viriam para mim e meus acionistas. "Tudo que posso dizer", falava sempre de dentes cerrados, "é que Merv é um cara maravilhoso."

Um jornalista com quem conversei – pois sua entrevista para o *60 Minutes* não iria ao ar antes da conclusão do negócio – foi Mike Wallace.

"Mike, vou gravar o programa", respondi quando ele ligou para perguntar se eu faria uma entrevista sobre Merv Griffin. "Mas tenho uma pergunta. Por que essa história interessa ao *60 Minutes*?"

"Porque ele está enfrentando você", disse Mike.

"É o que você acha", retruquei. "Mas qualquer tolo pode me enfrentar, Mike. E se eu disser que Merv está enganando os meios de comunicação?"

"Se verificarmos isso", disse Mike, "você vai ver na tela, prometo."

Assim, em uma noite de domingo no começo de 1989, os Estados Unidos viram. Acho que o *60 Minutes* retratou a situação de forma exata. Apesar do passado de personalidade da TV, Merv não se saiu muito bem frente às câmeras, particularmente nas últimas cenas, filmadas após os hotéis de Atlantic City e das Bahamas serem encampados pela Griffin Company. Mike Wallace sentiu-se na obrigação de mencionar o comportamento instável de Merv. Eu, por outro lado, finalmente estava livre para contar minha versão da história da Resorts (da mesma forma que em breve vou contar a história atual).

Eu tinha feito inúmeras apostas de um dólar com gente da minha organização que não achava que eu conseguiria ficar de boca fechada enquanto Merv recebia todas as glórias, e recolhi o dinheiro deles bem satisfeito. Mas, quando a negociação se encaminhava para o fechamento, um repórter da *Business Week* escreveu uma matéria detalhada sob o título "Donald ensina a Merv a arte da negociação". O fato é que Merv, ainda focado na decisão de comprar hotéis, não teve muito a dizer sobre a reportagem. Mas a Comissão de Controle de Cassinos, após ver os fatos apresentados na mídia nacional, concluiu que a empresa de Merv precisava de mais dinheiro pelo Taj a fim de reduzir o peso da dívida. No final, concordei em acrescentar US$ 25 milhões ao preço de compra. Merv também teve de colocar mais dinheiro do próprio bolso para precisar de menos empréstimos.

Essa foi uma daquelas negociações que têm de ser muito bem cuidadas até o fim. Para dar um exemplo: no início, enquanto dividíamos os bens da empresa, por questão de estratégia decidi lutar com Merv em alguns pontos relativamente insignificantes, como quem ficaria com alguns helicópteros e vários quadros de avisos pertencentes à Resorts. As negociações empacaram várias vezes nesses pontos menores. Mas tudo bem; é normal certa acrimônia em tais situações. No fim, Harvey Freeman, que tratava dos aspectos mais detalhados da negociação para mim, geralmente recuava e deixava Merv ganhar, uma tática que tendia a deixá-lo feliz e cada vez mais perto da assinatura. (Mas em muitos outros pontos eu não cederia, mesmo que significasse implodir a negociação. Você deve estar sempre preparado para cair fora – e estou falando sério.)

No entanto, alguns acontecimentos me afligiram, a começar por Merv ser financiado pela Drexel Burnham na época em que essa firma estava cada vez mais preocupada com Mike Milken e problemas correlatos. Nesse ínterim, a Comissão de Controle de Cassinos não parecia nada alegre com alguma coisa do passado do presidente da Griffin Company, Mike Nigris, o cara com quem Harvey Freeman tratava diariamente. Visto que o acordo dependia da concessão da licença a Merv, eu estava muitíssimo preocupado – até o dia em que Susan Heilbron me disse que Nigris havia "sumido", para o bem da companhia. Só mesmo no ramo dos cassinos um cara com quem um dia você está negociando se torna um desaparecido no outro. Nenhum conhecido meu viu Nigris desde então, exceto um membro da minha equipe que relatou ter visto o cara de relance cruzando a Quinta Avenida cerca de um ano depois.

Ego. Provavelmente é a única explicação para A Negociação Sem Sentido. Com certeza *alguma coisa* estava impedindo que Merv, um cara esperto, enxergasse os números que as pessoas colocavam na frente dele. Expus os fatos em nosso primeiro encontro. Mike Wallace perguntou a Merv na frente das câmeras se ele entendia que o serviço da dívida excederia a receita em US$ 109 mil por dia. E durante o processo de concessão da licença, a Comissão de Controle de Cassinos lembrou Merv constantemente de que ele estava se atrelando a uma dívida de longo prazo de US$ 925 milhões. A resposta dele até assinar o acordo do Resorts era: "Ei, não se preocupem. Sei como lidar com esse tipo de cifra". Chegou até a dizer para a Comissão de Controle de Cassinos: "Quero que fique registrado que estou fazendo uma tomada de controle hostil". Em outras palavras, ele arrancou a companhia de um Donald Trump que esperneava e gritava.

Certa vez, Merv me criticou e tentou me ridicularizar por colocar meu nome nos hotéis de Atlantic City. No final de 1989, no entanto, anunciou a mudança do nome da Resorts International para Merv Griffin's Resorts. Foi lançada uma campanha publicitária, e começaram as reformas no prédio antigo. Nada saiu do jeito que o pessoal de Griffin esperava, e em dezembro de 1989 a companhia pediu concordata.

Enquanto isso, o Taj foi inaugurado em 4 de abril de 1990, conforme o programado. Tenho grande amor por todas as construções fabulosas, mas o Taj me deixa pirado. É uma obra maravilhosa, desde o cassino, uma joia, até as sofisticadas suítes dos grandes apostadores, no último andar da torre.

Merv teve a gentileza de discursar na inauguração do Taj, o que mostra que, apesar dos nossos problemas, ele sabe que o tratei de forma justa. A amargura entre nós já passou. Agora chegou a hora de agradecer publicamente a Merv por ter me dado a oportunidade de fazer o que ele nunca quis fazer – tornar o Taj realidade.

6

GRAND HOTEL
A COMPRA DO PLAZA

Desde que saí da faculdade, tenho uma lista de dez propriedades que desejo adquirir em Nova York. Ainda não posso revelar quais são. Mas direi que o Plaza Hotel sempre foi o número 1 da lista.

Na verdade, o Plaza me intriga desde os tempos de criança. Talvez porque o achasse parecido com um castelo francês ou porque as charretes ficassem paradas do outro lado da rua, perto do Central Park. De qualquer forma, sempre fui fascinado pelo magnífico prédio na Rua 59 com a Quinta Avenida.

Contudo, não tive nenhum envolvimento pessoal com o hotel até começar a comprar ações da Allegis Corporation, no início de 1987. A Allegis, outrora conhecida como United Airlines, era dona da rede de hotéis Westin, que na época incluía o Plaza.

Gostei de me conectar àquele hotel grandioso, ainda que de forma indireta. Mas não foi por isso que comprei as ações. A Allegis me atraiu porque achava seu desempenho muito inferior a seu potencial. Como investidor, sempre olho de perto uma empresa que tenha grande patrimônio e uma gestão ruim.

Veja, por exemplo, a decisão de trocar o nome United Airlines por Allegis. Considerei uma manobra genuinamente burra e não tive pudores de ligar para Richard Ferris, na época CEO da companhia, e dizer o que achava. "Como é que vocês sequer cogitaram fazer isso?", perguntei certa vez. "Vocês têm um dos melhores nomes de corporação que pode haver. Sempre que alguém menciona a United Airlines, faz publicidade para o negócio central de vocês. Por que gastar US$ 35 ou US$ 40 milhões para substituir todos os logotipos no mundo inteiro por um nome que não significa nada para ninguém?"

Ferris defendeu a decisão dizendo alguma coisa sobre "demonstrar a nova sinergia corporativa". Escutei um pouco, depois disse: "Olha, na minha opinião, a palavra 'Allegis' deveria ser reservada para a próxima grande epidemia".

Alguns dias depois, repeti esse comentário em público. Não só os repórteres usaram em artigos, como também acabou aparecendo em muitos jornais como a Frase da Semana. Quando Ferris enfim foi forçado a sair, pouco tempo depois, muita gente disse que a brincadeira da "epidemia" tinha provocado a queda. Pode ser. Mas tudo que sei é que a frase apareceu na hora certa e chamou a atenção para o fato de que algo estava muito errado.

O Plaza serviu como mais uma prova da gestão negligente da Allegis, se é que alguém precisava disso. Desde a construção, em 1907, o hotel era um monumento ao sucesso e ao glamour. Os Vanderbilt, Wanamaker e Whitney hospedavam-se nas suítes luxuosas e bebiam champanhe com visitantes da realeza no Grand Ballroom. Mas, depois de uns trinta anos como hotel de propriedade de uma corporação, o Plaza parecia desgastado e em mau estado. Qualquer um podia ver o efeito de anos de negligência no saguão, onde os tapetes estavam surrados, e no Palm Court, onde as flores sempre pareciam meio murchas. Os proprietários anteriores chegaram a fechar o Rose Room e depois o Persian Room, alugando o espaço para uma loja de roupas indescritível por um valor ridiculamente baixo.

Adoraria pôr as mãos no Plaza e usar minhas habilidades de gestão para o hotel retornar à antiga estatura. Porque eu tenho um belo histórico com hotéis de Nova York. A transformação do antigo Commodore no magnífico Grand Hyatt foi uma negociação-chave do início da minha carreira, e desde então revitalizei o St. Moritz, na Central Park South com a Sexta Avenida. Mesmo assim, não perdi tempo sonhando com a possibilidade de ser dono do Plaza. Primeiro, era algo inviável, porque o Plaza pertencia a uma corporação. Segundo, meu investimento na Allegis estava indo às nuvens na época, pois outros começaram a perceber o valor patrimonial da companhia. Isso me deixou com duas opções: conservar as ações e manter minha ligação remota com o Plaza ou vender as ações e ter um lucro imenso depois de poucos meses. Não foi uma decisão lá muito difícil. Vendi as ações.

O que aconteceu a seguir me surpreendeu. Quando estava largando a Allegis de mão, a companhia anunciou que, como parte de um enorme plano de reestruturação, estava vendendo todos os bens não relacionados à aviação, inclusive, é claro, o Plaza.

Isso definitivamente atiçou meu interesse, mas só até certo ponto. O Plaza, imaginei, chegaria ao mercado como parte da rede de 61 hotéis da Westin. Para obter a propriedade que queria, teria de comprar o pacote inteiro e aí passar pelo menos um ou dois anos vendendo os sessenta hotéis que não me interessavam a mínima. Para tornar as coisas ainda menos atraentes no que me dizia respeito, a Allegis decidira leiloar a rede Westin. Como sou do tipo que prefere negociar cara a cara, em geral desisto se tiver que participar de um leilão.

Dessa vez, contudo, quando um representante do First Boston – contratado pela Westin para administrar a venda – entrou em contato, concordei em participar, embora com cautela. Achei que o processo do leilão faria o preço subir consideravelmente acima do que eu estava disposto a pagar. Mesmo assim, não custava nada dar um lance, e, participando do processo, sem dúvida eu conheceria melhor o Plaza e as pessoas que estavam no mercado para comprá-lo.

As regras planejadas pelo First Boston eram especialmente complicadas. Em vez de leilão, haveria um processo eliminatório no qual compradores potenciais selecionados fariam uma oferta preliminar que, se suficientemente alta, os qualificaria para o leilão final umas seis semanas depois. Meu lance inicial foi de US$ 1,3 bilhão, o que me colocou no meio de um monte de compradores potenciais, incluindo Marvin Davis, o governo do Kuwait e o time de Bob Bass e John Aoki.

Foi a oferta mais alta que fiz em toda a minha carreira, mas não significava nada. Eu sabia que as jogadas sérias da negociação ainda estavam por ser feitas. E, quando começassem, tudo poderia acontecer.

A compra e venda de hotéis de primeira classe é um negócio emocional. Quando um lugar como o Plaza vai a leilão, os negociadores mais duros amolecem, e a lógica muitas vezes é atirada pela janela. Estude o mercado atual e você verá o sultão de Brunei comprando o Beverly Hills Hotel por uma quantia irreal, um grupo japonês pagando um preço enorme pela cadeia Intercontinental e vários outros exemplos de gente se excedendo quando se trata de comprar hotéis.

Na verdade, o valor de muitas coisas tem a ver com emoção. Por que outro motivo as pessoas pagam US$ 400 pela onça do ouro e centenas de milhares de dólares por um diamante que não tem qualquer valor prático? Mas os hotéis conseguem suscitar paixões mais rápido do que qualquer outro bem. Quando os mais importantes chegam ao mercado, os compradores potenciais começam a tecer fantasias sobre hospedar os amigos, ser donos do centro social de uma comunidade e fazer uma afirmação pessoal definitiva. O resultado muitas vezes é um preço sem base na realidade.

Decidi sair fora no momento em que se espera que a emoção de todos entre em cena. Após analisar os detalhados informes financeiros disponibilizados pela Allegis aos "finalistas" do leilão, concluí que, por mais que amasse o Plaza, as circunstâncias não eram boas. Na hora eu faria uma oferta irrealmente baixa de US$ 1 bilhão pela rede Westin e deixaria por isso.

Ao negociar, você tem de ser capaz de traçar uma linha e dizer para si mesmo: é até aqui que eu vou. A capacidade de fazer isso está nos genes; você tem ou não tem. Conheço um cara formado em Wharton que tem uma mente empresarial verdadeiramente brilhante – quando trabalha para os outros. Mas meses atrás foi comprar uma casa para si mesmo, e foi um desastre completo. "Don, o que devo fazer?", me perguntava. "Telefono para o corretor, para o dono? Meu Deus, o que está acontecendo com essa casa?" Ele não dormia havia quase uma semana. Eu disse: "Sabe, você tem muita sorte de trabalhar para outra pessoa, e não sozinho, porque você não tem preparo emocional para ser seu próprio chefe". Os verdadeiros negociadores dormem à noite, haja o que houver.

Em todo caso, mal resolvi desistir do leilão, recebi o telefonema de um advogado talentoso chamado Tom Barrack perguntando se podia passar no meu escritório para um papo sobre a situação do Plaza. Na época eu não sabia muita coisa sobre Barrack, a não ser que representava Bob Bass, um investidor e magnata do petróleo do Texas que estava começando a sair da sombra do irmão mais velho, Sid. Eu tinha feito negócios com Bob alguns anos antes, quando ele me vendeu sua participação de 21% na rede de lojas Alexander por US$ 50 milhões, e gostei do jeito dele. A abordagem dele no leilão da Westin não foi exceção. Com a ajuda de Tom Barrack, Bob havia se aliado a John Aoki, dirigente de uma enorme empreiteira baseada em Tóquio, com o objetivo expresso de adquirir a Westin. Como Bob estava interessado principalmente no Plaza e Aoki estava empolgado com a perspectiva de ser dono de uma rede de hotéis de costa a costa nos Estados Unidos, a parceria parecia ideal. No leilão seguinte, pareciam o time a ser vencido.

Era óbvio que Tom concordava com minha avaliação quando chegou para o nosso primeiro encontro. Mas, sentado à minha frente, exalando confiança e trocando gentilezas, pareceu também estar sutilmente me sondando para ver o que eu acharia de comprar o Plaza caso Bob Bass o adquirisse e por alguma razão resolvesse revendê-lo. Isso poderia ser facilmente interpretado como sinal de medo ou indecisão por parte de Bass. Mas vi de outro modo: um empresário muito sagaz e muito conservador certificando-se de que teria uma porta de saída do negócio caso desejasse.

Minha reposta foi direta e imediata: "Tom, se algum dia você quiser vender o Plaza, pode me considerar interessado". Eu não tinha motivo para ser astucioso ou recatado. Não queria abrir o jornal um dia e descobrir que o Plaza tinha sido vendido a algum xeque ou conglomerado do Extremo Oriente. Ao mesmo tempo, não havia motivo para ele saber que o hotel de fato era o número 1 na minha lista de desejos secreta.

Alguns dias depois dessa reunião com Tom Barrack, em meados de outubro de 1987, o mercado de ações desabou, caindo quinhentos pontos em uma única tarde. Isso arruinou o leilão da Westin. Na esperança de que o First Boston estivesse levemente em pânico e agarrasse qualquer oferta mais ou menos decente, muitos dos candidatos a comprador começaram a dar lances antecipados. Um grupo liderado por Harry Mulliken, ex-CEO da Westin, ofereceu pouco mais de US$ 1 bilhão, e Marvin Davis aumentou para US$ 1,15 bilhão. Quando a poeira baixou, no entanto, Bass e Aoki levaram a rede Westin por US$ 1,53 bilhão.

Fiquei feliz vendo isso. Desde o começo, Bob Bass, presidente do Conselho Nacional do Patrimônio Histórico, amava o Plaza como só um conhecedor de prédios de qualidade é capaz. Logo depois de fechar o negócio, ele e a esposa, Anne, vieram de Fort Worth e passaram um tempo no hotel, circulando pelos corredores e jantando no Oak Room. (Mais tarde o irmão de Bob, Sid, se casaria no Plaza.) Àquela altura, eu praticamente já havia tirado o Plaza da cabeça. Estava ocupado demais com outros negócios para me sentir chateado.

E aí Barrack ligou de novo.

No telefone, o tom foi encantador e evasivo como sempre, mas a sugestão de nos encontrarmos para um café da manhã me levou a pensar que Bob e Aoki deviam estar cogitando alguma jogada. Sempre achei que poderiam considerar a venda do Plaza, a joia da Westin, pois, se conduzida de modo adequado, poderia diminuir efetivamente em cerca de US$ 400 milhões o preço pago pela cadeia e tornar a aquisição mais razoável. Durante o café da manhã, entretanto, Barrack insistiu que Bob estava maravilhado demais com o Plaza para vendê-lo. Embora eu gostasse muito de Tom Barrack, quis perguntar: "Bem, então que diabos estamos fazendo aqui, comendo *croissants*?".

Em vez disso, crivei-o de perguntas que queria que levasse ao seu grupo: Bob havia realmente pensado em como é a vida com os fortes sindicatos dos trabalhadores de hotel de Nova York? E quanto aos sistemas obsoletos de telefone e computador do Plaza? Havia considerado a necessidade de substituir os elevadores de carga que ainda funcionavam com um sistema hidráulico de 1907? Ele achava mesmo que poderia gerenciar do Texas uma propriedade como essa? Fui enfático, mas cordial. Se Barrack quisesse organizar uma venda, saberia aonde ir. Se não, vida que segue.

Depois disso, passaram-se várias semanas em que estive ocupado tratando de um monte de coisas, inclusive de detalhes de última hora de uma luta de boxe entre Mike Tyson e o ex-campeão de pesos pesados Larry Holmes. Senti que estava se armando um enorme sucesso – uma noite em que o centro de convenções de Atlantic City ficaria apinhado de celebridades como Madonna, Don Johnson, Norman Mailer e John McEnroe – e convidei Barrack para ir comigo no meu helicóptero. Queria me manter em contato com Tom, de quem gostava pessoalmente, mas, mais do que isso, queria que ele entendesse que eu definitivamente não me acabrunharia ante a perspectiva de possuir o maior hotel do mundo.

Era uma mensagem importante a comunicar. Quando você está na posição de vender um imóvel realmente precioso, não trata com qualquer um que tenha o dinheiro; você procura o tipo de pessoa que tenha apreço pela propriedade e que possa acrescentar algo com sua presença.

Na noite da luta, apresentei Barrack a um monte gente, em tom meio de brincadeira, como "o cara com quem farei um negócio dos grandes". Em parte era pensamento positivo meu, pois era um pouco presunçoso, e Barrack sabia disso, e em parte era uma brincadeira particular. Mantive o tom zombeteiro e cordial em todas as ocasiões em que falei com ele por telefone nos meses seguintes. Não era algo friamente calculado, mas funcionava para aliviar a tensão entre duas partes que provavelmente pensavam muito uma na outra, mas que se falavam muito pouco frente a frente. Em uma negociação você nunca deve ser ríspido ou antipático sem motivo. Em geral se consegue muito mais – e, além disso, a vida é mais agradável – quando se negocia como amigos, não como inimigos.

Em janeiro de 1988, Tom Barrack ligou e sugeriu um novo encontro. Quando mencionou que David Bonderman, chefe da equipe de Bob Bass, estava em Nova York e gostaria de participar da conversa, concordei. Pensei que talvez estivessem prontos para fazer alguma jogada depois de todos aqueles meses. O encontro, contudo, revelou-se um fracasso. Percebi que Bonderman era um cara rabugento logo que o vi, mas expliquei que compreendia muito bem a dificuldade de gerir um hotel à distância, bem como o desejo deles de obter um preço justo. Também me lancei como um cara em posição financeira de fechar o negócio imediatamente e também de executar a grande reforma que o prédio merecia.

Eles escutaram, depois disseram que Bob Bass não via como problema insolúvel o fato de ter sua sede no Texas e que na verdade o Plaza não estava à venda. Era a mesma conversa frustrante que eu ouvia fazia meses. Bonderman foi especialmente desencorajador, e, encerrada a discussão, perguntei a Jonathan Bernstein, um dos meus advogados que estava presente naquele dia: "O que achou disso tudo?". John balançou a cabeça e disse: "A coisa passou de boa para ruim com uma incrível rapidez". Tive de concordar. Mas, enfim, não era de surpreender. Quase todas as negociações são como uma montanha-russa; você tem de entender isso desde o início e relaxar.

Cerca de duas semanas depois do encontro, Barrack ligou do nada e disse que gostaria de outro encontro – para discutir a possível venda do Plaza. Dessa vez *eu* fiquei surpreso, mas evitei ficar feliz com o súbito acontecimento até ouvir o preço.

Quando chegou ao meu escritório, Barrack foi educado como sempre, mas muito profissional. Bob Bass não aceitaria menos de US$

450 milhões em dinheiro pelo hotel, disse ele. Depois acrescentou que, caso eu tivesse interesse, teria de concordar em abrir mão da cláusula condicional de praxe. Isso representaria uma enorme concessão da minha parte, pois, se abrisse mão da cláusula e qualquer informação financeira ou algo no prédio em si se revelasse falho ou diferente do prometido, eu não poderia processar.

No todo, contudo, era uma proposta interessante. O preço de Barrack não era tão afrontoso quando poderia ter sido. O Plaza, considerando-se sua estatura, sua história e sua atratividade para o tipo de comprador para quem dinheiro não é problema, valia aquilo ou até mais. Por outro lado, analisando a situação em termos estritamente econômicos, comparando o fluxo de caixa gerado pelo hotel com os encargos financeiros anuais a vencer, US$ 450 milhões era um preço alto.

Eu não iria fazer uma tolice por impulso, disse a Barrack. A meu ver, US$ 350 milhões era o preço justo. Ele não demonstrou qualquer emoção especial, mas, como parecia não haver margem de barganha, não havia nada a fazer a não ser apertar as mãos e partir. Quando ele entrou no elevador, eu já estava imerso em outro negócio importante.

Como já disse, não sou de forma alguma um *workaholic*, mas ter muito o que fazer é um dos segredos de ouro na arte da negociação. Nunca vou esquecer um amigo que certa vez passou dois anos concentrado em um único projeto. "Não tem como você fazer um bom negócio", falei para ele. "Quando a negociação séria começar, você vai ficar pensando no que está em jogo e no que pode perder, e a outra parte vai ver medo em seus olhos e tirar vantagem disso." Para me certificar de nunca me encontrar nessa situação, tento ter no mínimo dez negócios em andamento ao mesmo tempo. Assim posso me concentrar nos que estão indo bem e largar o resto. Foi exatamente o que fiz depois da reunião com Barrack.

Não era fácil saber que talvez a única chance de possuir o Plaza pudesse estar escorregando por entre meus dedos, mas tirei o hotel da cabeça e resisti à tentação de ir a qualquer lugar nas imediações do prédio. Se fosse avistado por ali àquela altura, teria não apenas dado a Barrack uma chance de ver meu interesse, como também atraído os tubarões que surgem do nada e elevam o preço de qualquer coisa na qual eu esteja interessado, baseando-se na teoria de que, se Trump quer, deve valer a pena possuir. Portanto, embora seja do meu estilo inspecionar minuciosamente qualquer propriedade, me mantive afastado. As pessoas da minha organização – gente que se lembrava de que, quando eu comprava um apartamento no Brooklyn ou Queens, verificava cada parafuso e cada porca – me perguntavam: "Como está o encanamento? E o ar-condicionado?", e eu tinha que dizer: "Olha só, vamos ver isso depois de fechar o negócio. Estou comprando o Plaza Hotel, e o Plaza Hotel é muito mais do que a soma de suas partes".

Tom Barrack e eu não nos falamos nas três semanas seguintes. No sábado 27 de fevereiro, liguei e perguntei se ele poderia vir ao meu escritório na terça-feira de manhã.

Pressenti que era a hora de fechar o negócio – por vários motivos. Sabia que Bob Bass não precisava vender o Plaza por razões financeiras, mas mesmo assim estava claro que procurava um comprador. Sabia que Barrack conversara com vários investidores do mundo inteiro, inclusive da Austrália e de Hong Kong. Tenho certeza de que todos eram ótimos, mas, depois de anos de negligência, o Plaza merecia algo melhor do que um proprietário ausente e uma gestão comum. E ali estava eu, um cara com uma visão do que o hotel poderia ser e com o dinheiro para tornar tal visão realidade. Com toda a honestidade, eu poderia ter protelado e negociado o Plaza com mais agressividade; normalmente acredito que temos que lutar com tudo por todos os pontos. Mas essa situação era singular. Na minha cabeça, era simplesmente justo e correto eu possuir o Plaza. Eu achava que seria uma total tolice Bob Bass vender para outra pessoa.

Meu encontro de terça-feira com Barrack durou cerca de dez minutos. Em resumo, chegamos a um meio-termo de US$ 400 milhões e fizemos um acordo para proteger o negócio enquanto meu advogado Jon Bernstein e Barrack tratavam dos detalhes. Duas semanas depois, nos encontramos para discutir as coisas de forma mais definitiva. Barrack disse que Bob Bass achava que o preço deveria ser US$ 10 milhões acima do que havíamos acertado. Concordei com US$ 407,5 milhões, mas pedi que o negócio agora incluísse o 22 Central Park South, um prédio de apartamentos ao lado do Plaza. Pedi também o restabelecimento da cláusula de contingência, para ter recursos legais caso ocorressem problemas maiores. Barrack concordou com esses pontos.

A venda do Plaza Hotel foi uma enorme notícia. Ninguém jamais havia pagado tanto por um único hotel, e a reação dos palpiteiros foi de que eu tinha pagado um valor excessivamente alto. Algumas pessoas até me compararam a Merv Griffin, dizendo que eu tinha me deixado levar pela emoção, assim como ele no negócio da Resorts, e que isso não era do meu estilo. Só posso dizer que acabei ficando com o Plaza. Fiquei tão feliz por tê-lo que estava encantado com o negócio que tinha feito.

Tom e Bob Bass foram totalmente honrados. Sei que, enquanto o contrato era preparado, eles receberam várias ofertas substancialmente maiores do que a minha, de alguns grupos muito poderosos. Mas se recusaram até mesmo a atender os telefonemas dessas pessoas. A integridade deles lembrou-me muito da época em que estava planejando a construção da Trump Tower e negociando com Walter Hoving, presidente da Tiffany, pelo direito crucial ao espaço aéreo acima do prédio dele. Quando seus subordinados chegaram e disseram "Podemos conseguir mais dinheiro do que Trump está pagando", Walter não acreditou. "Vocês não estão entendendo", disse ele, "dei minha palavra. Trocamos um aperto de mãos." Bob Bass, John Aoki e Tom Barrack foram exatamente iguais. Em um mundo cheio de trapaça e desonra, é bom saber que existem pessoas assim.

Minha confiança implícita em Tom e nos outros era tanta que comecei a investir tempo e dinheiro no Plaza antes mesmo de fechar o negócio oficialmente. Isso é algo que eu normalmente não faria, pois a compra de hotéis pode ser um caso complicado e demorado, no qual as equipes de advogados e contadores das duas partes discutem exatamente o que está incluído no preço. Nunca vou me esquecer da situação com Leona Helmsley em 1985, quando comprei o St. Moritz do marido dela, Harry, e de Lawrence Wien. Leona manteve todos os envolvidos no fechamento do negócio até o amanhecer contando cada toalha e xícara do hotel. Não via isso acontecer com Bob Bass e John Aoki.

No começo do verão de 1988, fiz minha primeira visita de bastidores como proprietário do Plaza Hotel com Richard Wilhelm, nosso vice-presidente e gerente-geral. Richard era apenas um quarentão, mas já tinha grande experiência como gerente de hotéis, tendo trabalhado no Waldorf-Astoria, St. Regis e Trump Castle, entre outros. Ele entende que um hotel é um ambiente vivo, que respira e pode ser morto pela complacência. Quando Ivana e eu trouxemos Richard de Atlantic City, onde ele havia implantado um programa de treinamento de pessoal que permitia aos funcionários obter créditos para se graduar em hotelaria na Universidade de Michigan, ele estava ansioso para arregaçar as mangas e começar a fazer mudanças. Felizmente, ele compartilhava de nossa crença de que no Plaza deveríamos esquecer a ostentação superficial e trabalhar para restituir ao hotel a antiga grandiosidade.

"Antes de começarmos nossa visita", disse Dick naquele dia, com um brilho no olhar, "fico feliz em informar que vocês ficarão completamente estarrecidos com algumas coisas que vamos ver." Eu sabia o que ele queria dizer: havia grandes oportunidades de melhorias. "Ótimo", disse eu. "Vamos começar de cima."

A primeira coisa que vi quando pisei no topo do Plaza foi uma vista magnífica de um dos maiores cruzamentos do mundo. A segunda coisa que percebi foi um telhado velho, pintado de verde, colocado ali uns trinta anos antes. Desde 1947, quando os proprietários originais venderam o hotel, o Plaza fora administrado por uma sucessão de redes – Hilton, Sonesta e Westin. Por todo o hotel, havia sinais de gestão medíocre, algo quase inevitável quando grandes empresas de capital aberto estão envolvidas, mas aquela estrutura feia do telhado era uma das mais apavorantes.

Ali mesmo comecei a visualizar o que poderia ser uma das residências mais espetaculares do mundo. "Que desperdício incrível", disse a Richard. "Poderíamos derrubar isso e transformar o último andar em um belo apartamento duplex que provavelmente poderíamos alugar por US$ 1 milhão por ano."

Dali fomos para o andar de baixo, o 19º, ocupado por quase três mil metros quadrados de escritórios alugados para a empresa de arquitetura de Lee Harris Pomeroy. A vista do Central Park de novo era espetacular, mas os antigos proprietários, tomados pelo pânico durante os tempos difíceis que assolaram Nova York no final da década de 1970, tinham achado adequado alugar o andar inteiro por US$ 10 o metro quadrado – quase o mesmo preço pelo espaço de um armazém no centro.

Enquanto observava uma foto grandona de um edifício da Quinta Avenida pendurada no corredor, tive uma ideia e bati na porta do chefe, Lee Pomeroy. "Esse prédio foi projeto seu?", perguntei, apontando para a foto. Ele disse que sim e falou de outros projetos em que a firma estava envolvida. "Gosto do seu trabalho", disse a ele. "E tenho uma proposta." O que eu queria, disse de cara, era retomar o espaço dele para construir apartamentos duplex luxuosos no topo do Plaza. "Sei que você tem um belo contrato aqui", eu disse, "então que tal isto: se concordar em desocupar o lugar até março, você poderá ser, junto com Hardy Holzman Pfeiffer, o arquiteto da reforma do Plaza, o que poderá ser o projeto mais empolgante que já fez." Os olhos dele brilharam, e selamos o negócio com um aperto de mãos ali mesmo. Desci então para o andar seguinte.

As coisas estavam acontecendo, e eu me sentia ótimo. Mais tarde, quando fui aos arquivos e examinei as plantas de 1907 do arquiteto Henry Hardenbergh, descobri que as ideias dele eram incrivelmente semelhantes às que eu tinha em mente. Me senti ainda melhor.

A Westin havia gastado US$ 89 milhões na reforma do hotel, mas, durante a visita pelo Plaza naquele dia, fiquei espantado, porque pouco se via. As escadarias de mármore entre os andares estavam opacas pelo uso e sujeira; muitas das colchas dos oitocentos quartos do Plaza estavam manchadas para além da possibilidade de limpeza; os uniformes dos porteiros estavam puídos nos punhos, e faltavam botões neles.

Uma coisa que considerei especialmente ofensiva enquanto caminhava pelos corredores espaçosos do hotel foi que praticamente todas as lindas sancas trabalhadas, originalmente realçadas com folhado a ouro de verdade, simplesmente tinham sido repintadas de amarelo, ou, em alguns casos, de um marrom horrível. Se aquilo tivesse sido parte de uma campanha organizada de corte de gastos, talvez eu conseguisse entender. Mas para cada dólar poupado, milhares eram desperdiçados.

Por toda parte onde estive, vi um artigo precioso – espaço – sendo esbanjado. O oitavo andar inteiro funcionava como depósito, simplesmente, suponho, porque sempre tinha sido assim. A maior suíte do prédio – um duplex com vinte cômodos e uma adega – era usada pelo diretor do hotel como apartamento privado. E, numa época em que o serviço de bufê do Plaza era tão solicitado que tinha de recusar clientes, boa parte do andar do salão de banquetes estava ocupada por escritórios do pessoal do hotel.

Alguma coisa tinha que ser feita, e ao final do dia eu já havia formulado um plano básico para tirar do porão o equivalente a oitenta anos de lixo, montar escritórios modernos para o pessoal do hotel e construir novos restaurantes que nos permitiriam aumentar a receita anual em vários milhões de dólares.

Ivana se tornou presidente do Plaza em junho de 1988, deixando o Trump Castle. Barbara Res, a mulher direta e prática que havia supervisionado a construção da Trump Tower, sabia muito bem o que eu queria, por isso a encarreguei da reforma do hotel.

Adorei vasculhar os arquivos. Enquanto analisava antigos cardápios, fotos e livros de souvenires, senti como se estivesse tentando solucionar um mistério, o que de alguma forma estava – o mistério de como exatamente era o Plaza em seus dias de glória. E pouco a pouco as pistas foram se somando.

Um dia, ao verificar alguma coisa em um canto escuro do porão do Plaza, vi um belo relógio de bronze, depois outro e mais outro, acumulando poeira no fundo de uma das prateleiras. Constatei que o Plaza tivera um relógio daqueles em cada consolo de mármore de suas 260 lareiras. Os relógios menores ficavam conectados a um relógio central, o que significava que todos os relógios do hotel eram perfeitamente sincronizados. Era um antigo e maravilhoso sistema. Alguns anos antes, porém, algum gênio que provavelmente estava tentando impressionar seu superior na cadeia corporativa deve ter tido a ideia de que era mais barato guardar os relógios do que mantê-los, e assim os relegou ao porão. Ivana e eu concordamos que todos os

260 relógios deveriam ser limpos, adaptados para um mecanismo a quartzo e recolocados em cima das lareiras o mais rápido possível.

Folheando cuidadosamente um exemplar maravilhoso de 1907 de uma revista chamada *Architectural Record*, vi um dia uma propaganda de uma empresa de ladrilhos do Brooklyn que se gabava de ter instalado o piso do Oak Room do Plaza. Eu sabia que, de momento, um carpete velho e surrado cobria o chão do Oak Room de parede a parede. Ivana mandou levantarem uma ponta do carpete para ver o que havia por baixo, e não deu outra: lá estava o belo piso de mosaico mencionado na propaganda. O único problema é que estava manchado de poeira e cola de carpete em alguns pontos. Voltei à velha revista, peguei o nome da empresa e fui atrás. Não só ainda existia, como também foi o neto do homem que havia colocado o piso quem atendeu o telefone. A nosso pedido, ele veio ao hotel limpar e restaurar o piso a fim de que os frequentadores do Oak Room pudessem ver novamente o belo trabalho de mosaico em toda a sua glória.

Outra ideia que tivemos a partir dos arquivos foi a restauração da "varanda do champanhe", localizada acima da recepção. Outrora um lugarzinho romântico para se tomar um drinque observando o movimento no saguão abaixo, a área até recentemente estava tapada com um compensado pintado de forma a imitar mármore. Nos anos 1940, quando instalaram o ar-condicionado, aquele pequeno espaço precioso tinha sido fechado porque alguém decidiu que o custo extra para climatizá-lo não valia a pena. Eu vi de outra forma: a coisa mais prática que eu poderia fazer seria realçar o Plaza como obra de arte.

A varanda, tão elegante quanto na época de F. Scott Fitzgerald e John Gates, fará um retorno triunfante em 1992.

Várias outras ideias para a reforma do hotel vieram de funcionários que estavam lá desde os velhos tempos. Lembro-me de um dia caminhar pelo salão de festa com cerca de vinte decoradores, arquitetos, consultores e outros, todos dizendo que eu deveria tirar as cortinas, mudar as portas e trocar tudo o mais, de um jeito que francamente considerei atordoante. Num impulso, peguei um dos garçons e perguntei quanto tempo fazia que ele trabalhava no Plaza. "Trinta e sete anos", respondeu ele. Levei-o para um lugar sossegado e comecei a fazer perguntas. "Oh, Sr. Trump, precisamos das cortinas porque temos shows", disse ele. "Mas, se quiser saber o que precisa mudar, posso dizer." Em cinco minutos, eu e ele tínhamos formulado um plano básico para a reforma do salão de festa.

A chave para melhorar o Plaza é que ajo com rapidez e determinação, livre de qualquer burocracia. Talvez nem sempre eu tome a decisão mais correta – por exemplo, meu anúncio de que Ivana receberia US$ 1 por ano e todos os vestidos que pudesse comprar me meteu em problemas –, mas nunca tem baboseira burocrática. Caminho pelo lugar, vejo as coisas que não me agradam e na mesma hora trato de modificá-las. Quando Ivana ligava e dizia que queria gastar US$ 150 mil para refazer cada uma das suítes, conseguia uma resposta – sim ou não – em trinta segundos. Dinheiro também não precisa ser um problema. Logo depois de assumir a direção do Plaza, Ivana ligou para dizer que tinha pedido ao pessoal da manutenção do hotel para imprimir o logotipo do hotel na areia dos cinzeiros do saguão, mas os líderes sindicais estavam dando trabalho. Liguei para o sindicato e resolvi a coisa. Se fosse um executivo de corporação, provavelmente estaríamos nos reunindo agora pela terceira ou quarta vez para tratar do assunto.

É claro que não quero fazer tudo na correria. Dei aos meus arquitetos, Hardy Holzman Pfeiffer Associates, e ao pessoal de Lee Pomeroy todo o tempo de que precisassem para desenvolver um projeto magnífico para devolver o Plaza à condição original. O trabalho diante deles não era fácil. O que eu queria acarretava um grande número de modificações no prédio, inclusive o acréscimo de quatorze suítes no topo e abertura de janelas no magnífico telhado de mansarda verde. Ao mesmo tempo, tudo o que fizessem teria de agradar não apenas a mim, mas também à Comissão de Preservação de Prédios Históricos, bem como aos críticos e habitantes de Nova York. Fico feliz em dizer que se saíram campeões, com a reforma mais sensível e historicamente acurada que já vi. Além de remover a estrutura de depósito do telhado, o plano propôs a criação de uma magnífica claraboia sobre o Palm Court, a restauração do saguão de entrada da Quinta Avenida, a volta do Rose Room, o acréscimo de toldos decorativos da virada do século e inúmeras outras melhorias internas e externas.

Não só a Comissão de Preservação de Prédios Históricos aprovou a proposta, como também Paul Goldberger, crítico do *New York Times*, analisou o projeto de reforma e fez rasgados elogios. "Não há outro prédio em relação ao qual os nova-iorquinos sejam tão possessivos", começou Goldberger. A seguir exaltou o projeto praticamente ponto por ponto e reconheceu que o hotel não era uma peça de museu, e sim um ambiente em constante mudança.

Em setembro de 1988, peguei uma página inteira do *New York Times*. Sob o título "Por que comprei o Plaza?", escrevi:

> Não comprei um prédio, comprei uma obra-prima – a Mona Lisa.
>
> Pela primeira vez na vida, fiz conscientemente um negócio que não foi econômico – pois jamais poderei justificar o preço que paguei, por maior que venha a ser o sucesso do Plaza. O que fiz, no entanto, foi dar a Nova York a oportunidade de ter um hotel que transcende todos os outros. O Plaza transcenderá todos os outros! Estou comprometido em fazer do Plaza o melhor hotel de Nova York, talvez o melhor hotel do mundo.

Tão logo comprei o Plaza, percebi que o St. Moritz não sem encaixava em meus planos de então. Tive uma ótima gestão ali, comprando por US$ 71 milhões em 1985 e desde então obtendo um lucro operacional bruto na faixa de US$ 11,5 milhões. Mas não precisava competir comigo mesmo sendo dono de outro grande hotel, que também precisava de reformas, a apenas um quarteirão a oeste do Plaza, na Central Park South. Eu queria uma negociação ágil, limpa e rápida do St. Moritz, para poder me concentrar no Plaza. Porém, como o St. Moritz fazia muito sucesso e tinha uma localização de primeira, não via por que deveria fazer um sacrifício financeiro só para fechar a venda.

Minha solução para o dilema foi ligar para Alan Bond, um rico investidor australiano. Conheci Alan há alguns anos, quando ele patrocinou um time australiano na corrida de iates da Copa América e eu uma equipe norte-americana que estava decidida a reaver o prêmio. Na época, ele me impressionou como uma grande figura mundial, um cara sem papas na língua e que aproveitava as chances quando elas surgiam. Alguns anos depois, assisti maravilhado a ele participar de um leilão e acabar pagando o valor recorde de US$ 53,9 milhões pelos Lírios de Van Gogh. Na ocasião, percebi que Alan não é de embromar.

Quando liguei, vi que Alan ficou francamente interessado no St. Moritz desde o começo. Quando veio ao meu escritório tempos depois, ficou apenas cerca de vinte minutos antes de assinarmos uma carta de intenções dizendo que ele havia comprado o hotel por US$ 180 milhões, me proporcionando um lucro de US$ 110 milhões, sem incluir os lucros operacionais. A única negociação que fizemos foi quando Alan me ofereceu os *Lírios* como parte do pagamento. Disse-lhe que não podia aceitar o quadro. Perguntei: "O que eu faria com ele?".

Para ser franco, não vejo como ele possa administrar o St. Moritz com lucro, dado o preço que pagou. Nesse ínterim, Alan enfrentou problemas financeiros. Mas estava feliz quando foi embora, e eu também, naturalmente. Prevejo que Alan dará uma grande volta por cima.

Boa parte do lucro obtido com o St. Moritz foi despejada no Plaza. Não vou ficar satisfeito até todo o folhado a ouro cintilar, cada centímetro de mármore reluzir e cada corrimão de bronze brilhar.

Mesmo que eu quisesse ser desleixado com o hotel, o público não deixaria. Ainda estou espantado com o tumulto que causei quando anunciei que fecharia o Trader Vic's. Para mim, não passava de um bar e restaurante, no saguão, especializado em cozinha polinésia fajuta e drinques exóticos com espadinhas de plástico e sombrinhas de papel. Pensei em transformar o lugar em uma academia ou talvez em uma versão anos 1990 do Le Club, o ponto exclusivo onde passei muitas noites logo que me mudei para Manhattan. Porém, quando falei que o Trader Vic's tinha se tornado cafona, muita gente desaprovou minha crítica a uma parte do meu hotel. Como eu ousava denegrir o local ao qual tinham ido depois da festa de formatura?, perguntaram. Em reação ao meu anúncio, apareceu tanta gente para um drinque sentimental e um último prato de *pu-pu* que decidi manter o lugar aberto por enquanto.

No fim, contudo, o Plaza será lembrado como o melhor hotel não só de Nova York, mas também do mundo. Isso já está acontecendo. Há pouco tempo, o *Condé Nast Traveler* publicou um grande artigo no qual pediram a 25 dos principais hoteleiros do mundo que escolhessem onde gostariam de se hospedar durante uma viagem. O Plaza foi o único hotel de Nova York na lista compilada por essas pessoas de gosto apurado – pessoas, como dizia a revista, "sensíveis à menor imperfeição". Gostaria de compartilhar com vocês o que James Dayley, proprietário do suntuoso Copley Plaza Hotel, em Boston, disse sobre o Plaza na reportagem:

Fomos recepcionados com champanhe. No quarto, roupões de banho, secadores de cabelo e perfume Chanel. O primeiro andar inteiro estava sendo finalizado, e as salas em funcionamento e o salão de festa estavam adoráveis, em vermelho. O serviço de quarto foi rápido, e os funcionários, amáveis. Precisamos de entradas para uma peça na última hora, e o recepcionista conseguiu para nós. Tudo foi feito em grande estilo.

Donald veio à nossa mesa enquanto jantávamos no Oak Room. A comida estava excelente.

Ivana, Dick Wilhelm e todo o pessoal fizeram um excelente trabalho. O hotel foi verdadeiramente modificado. A palavra final sobre o Plaza ainda está por ser dada, mas sei que assumi uma instituição única e mundialmente famosa e realcei seu valor. Como empresário e amante de prédios bonitos, de momento isso está de bom tamanho para mim.

7

VOANDO ALTO
A HISTÓRIA DA SHUTTLE

Às cinco da tarde de 24 de maio de 1989, ouviu-se um brado de alegria no meu conjunto de escritórios. Graças a uma decisão judicial a meu favor, a Eastern Shuttle finalmente se tornaria a Trump Shuttle e decolaria.

A notícia vinda do tribunal pôs fim a uma das batalhas mais longas e mais duras que já travei. Mas, enquanto todos os outros comemoravam nossa entrada em um novo ramo, eu tinha uma sensação de *déjà-vu*. A Eastern Shuttle lembrava-me muito o Plaza Hotel. Ambos eram grandes instituições norte-americanas que haviam se deteriorado bastante em termos de imagem e do serviço oferecido. E agora ambas eram minhas, para eu preservá-las e melhorá-las o máximo possível, enquanto o mundo assistia.

O negócio da ponte aérea começara uns anos antes com um telefonema de Frank Lorenzo. Frank, que tinha assumido a Eastern

Airlines não fazia muito, perguntou se poderia passar no meu escritório para discutir uma ideia em que estava trabalhando. Visto que sempre tive certo interesse pelo setor aéreo e que conversar nunca faz mal, respondi que sim e marcamos um encontro para o dia seguinte.

Naquela época não conhecia Frank pessoalmente, mas estava bem informado de sua reputação como CEO da Texas Air Corporation. Frank era conhecido como um artista implacável e frio na tomada de controle de empresas, um cara que tinha comprado companhias aéreas com problemas, como Continental, People Express e New York Air, e as transformado em operações de baixo custo, normalmente desmantelando sindicatos, cortando salários e extirpando operações não lucrativas. Sempre teve muito pouco a dizer à imprensa – o que significa que os líderes sindicais, seus inimigos declarados, acabaram moldando sua imagem pública. Em suas citações e histórias, retratavam Frank como um personagem do mal, tipo Darth Vader, como um executivo que, para dizer o mínimo, não era amigo dos trabalhadores.

Quando veio ao meu escritório, Frank não me pareceu um ogro. Notei, contudo, que dispensou a conversa fiada e foi direto ao assunto – um plano para criar uma subsidiária da Texas Air que compraria a ponte aérea da Eastern. Será que eu estaria interessado, perguntou, em investir na alienação daquela empresa junto com ele e outras pessoas?

A ideia era intrigante sob certos aspectos. As pontes aéreas Nova York–Washington e Nova York–Boston da Eastern tinham dado lucro praticamente desde que entraram em operação, no início da década de 1960. Mais do que um meio de transporte, a ponte aérea é hoje um estilo de vida para as pessoas influentes que viajam no chamado corredor do poder do nordeste. Além do mais, a Eastern tem a melhor localização nos aeroportos de cada uma das três cidades, bem como uma tradição em voos de hora em hora, um esquema de horário aparentemente simples que deu à companhia uma enorme vantagem sobre a concorrência.

Normalmente, nenhum executivo em seu juízo perfeito venderia uma joia dessas. E Frank estava em pleno controle de suas faculdades mentais. Qual era então?

Na verdade, a situação era fácil de entender. A Eastern era uma empresa em apuros financeiros. Para a manter a outrora orgulhosa companhia aérea funcionando, Frank precisava desesperadamente do dinheiro que a venda da ponte aérea proporcionaria.

Sentado ali, escutando Frank, não pude deixar de me impressionar com algumas de suas qualidades. Tinha a aparência esguia, quase esquelética, de um cara de tremenda resistência física e mental – resultado, vim a saber mais tarde, de corridas de longa distância. A julgar pelo plano que expôs, também acreditei que fosse um negociador de primeira. Mas, embora a ideia fosse interessante, não era para mim.

Frank estava basicamente procurando um suporte para uma operação que ele iria dirigir. Não gosto de botar grandes somas de dinheiro para que outra pessoa então decida como o projeto será conduzido.

"Não vejo graça, a menos que eu possa sair em busca das melhores pessoas e aí administrar a companhia", disse a Frank. "Mas", acrescentei, "se a Eastern Shuttle algum dia estiver à venda, adoraria comprá-la."

Embora falasse sério, na verdade não achei que teria outra chance com a ponte aérea, um ativo de primeira classe.

Contudo, muito meses depois, numa época em que a Eastern já estava distante dos meus pensamentos, recebi um telefonema de Frank, perguntando se eu ainda estava interessado. Àquela altura, ele havia desistido do plano de comprar a operação para si por meio de uma subsidiária. Agora falava de um negócio que oferecia exatamente o que eu queria – a chance de adquirir e operar aquela pequena joia aérea.

"Sim", eu disse, "com certeza estou interessado." Marcamos um café da manhã para o dia seguinte.

Sem me deixar empolgar demais, senti que tinha grande chance de comprar a ponte aérea. Sabia que Frank tinha que fazer alguma coisa a respeito da Eastern Airlines – e depressa. A empresa estava em mau estado quando ele assumiu no lugar de Frank Borman, o ex-astronauta, em 1986. Agora a Eastern não só continuava com a hemorragia de dinheiro, como também parecia à beira de uma guerra civil. Um número enorme de pilotos havia se demitido ao longo do ano anterior, outros funcionários distribuíam fotos de Frank com um alvo estampado no rosto, e havia até relatos de violência física. Em dado momento, Alfred Kahn, ex-presidente do Conselho Aéreo Civil, disse que Frank e Charles Bryan, chefe do sindicato dos mecânicos, pareciam "dois escorpiões numa garrafa". "O ódio é tão grande", observou, "que parecem preparados para arruinar a companhia."

Em meio a tudo isso, Frank manteve-se calado e aguentou o tranco. Na vida, a maioria das pessoas fala muito e age pouco. Frank é aquele tipo raro que age muito e não fala nada. Não estou dizendo que isso seja bom, pois talvez uma conversa tivesse abrandado a tensão com os sindicatos e evitado o declínio contínuo da Eastern. Mas nenhuma dose de pressão levaria Frank a revelar o que faria caso os mecânicos entrassem em greve, como ele se sentia em relação à possibilidade de levar a Eastern à falência ou qualquer outra das questões que ameaçavam a existência da linha aérea.

O engraçado é que, de homem para homem, achei Frank muito diferente do maníaco recluso e maligno sobre o qual se lia na imprensa. Me reuni com ele várias vezes nos meses seguintes, sempre no Edwardian Room do Plaza Hotel, e invariavelmente achei-o descontraído, agradável e compassivo, a despeito de seus sentimentos sobre os líderes sindicais. Frank também é um chefe de família dedicado, que se preocupa profundamente com a esposa, Sharon, e com os filhos.

Como negociador, no entanto, Frank revelou-se bastante duro, como era de se esperar. A ponte aérea era um ativo extremamente valioso sob seu controle, e desde o início das negociações ficou claro que ele sabia disso.

O preço pedido por Frank pela ponte aérea e dezessete Boeings 727 foi US$ 425 milhões. Achei que poderia conseguir por menos e fiz uma contraproposta de US$ 325 milhões.

Enfatizei repetidamente que, vendendo para mim, Frank não apenas conseguiria um comprador que obteria financiamento sem problemas, como também – e talvez igualmente importante – manteria uma operação potencialmente lucrativa fora do alcance dos concorrentes dele. "Para ser franco, você poderia conseguir mais da American ou da United", disse a Frank. "Mas para que fortalecer a concorrência?" Por fim ele concordou, acertamos o preço em US$ 365 milhões e assinamos os contratos.

Ficamos os dois satisfeitos com a negociação, mas, na coletiva de imprensa convocada para anunciá-la, percebi que Frank não tinha capacidade ou vontade de demonstrar bons sentimentos em público. Assim que os repórteres começaram a fazer perguntas, ficou tenso e combativo, parecendo o vilão que todos acreditavam que fosse. Frank perdeu o controle já na primeira pergunta, e – algo que eu nunca tinha visto antes – o repórter quis sair da sala de tão ofendido com a atitude de Frank.

Infelizmente, meu prazer inicial com o negócio não durou muito. Alguns dias depois de assinarmos o contrato, três sindicatos da Eastern entraram com um processo tentando proibir a venda.

Pilotos, mecânicos e comissários de bordo acreditavam, correta ou erroneamente, que a venda da joia preciosa da Eastern impossibilitaria a empresa de se manter como uma força no setor aéreo. Achavam que se tratava do passo inicial para desmantelar a Eastern Airlines, um processo que poderia levar à perda de empregos ou, no mínimo, a cortes fundos nos salários.

Se era ou não a intenção de Frank, ninguém sabia. Os sindicatos, no entanto, estavam dispostos a acreditar em qualquer coisa ruim a respeito de Frank – e ansiosos por fazer qualquer coisa que ferrasse com seus planos.

Os advogados da Eastern estavam muito preocupados com a causa, mas não porque tivessem dúvidas sobre nossa posição legal. A preocupação era porque o caso era apreciado na corte federal por Barrington Parker, um juiz que anteriormente havia dado um veredicto contrário à Eastern em uma ação que a empresa achava que venceria. O pessoal da Eastern acreditava, talvez com certa justificativa, que o juiz Parker tinha forte animosidade em relação a eles e seu controvertido chefe.

Quando nos reunimos para discutir a estratégia no caso, disse aos advogados da Eastern que eu queria testemunhar. A reação imediata foi vetar a ideia. Era muito arriscado, disseram – muito ousado, não se fazia esse tipo de coisa, e assim por diante. Deram um milhão de motivos para eu ficar à margem.

Por outro lado, eu achava que ajudaria nossa causa, pois a imagem de Donald Trump, na cabeça de muita gente, é a de um lança-chamas, um tirano, um empresário que anda por aí destruindo a concorrência. Senti que, se pudesse depor, eu poderia mostrar que essa imagem, pelo menos sob muitos aspectos, é falsa.

"Se o juiz vir que sou um cara decente e não o doido retratado na mídia", disse ao pessoal da Eastern, "isso só pode ajudar nossa causa. Além disso", acrescentei, "vocês sentem que estão travando uma batalha perdida, então o que têm a perder?" Por fim, um advogado realmente sagaz da equipe da Eastern, David Boies, da Cravath Swaine & Moore, teve peito para dizer que concordava comigo. Foi a recomendação de Boies que persuadiu a Eastern a me deixar testemunhar.

No fim, meu depoimento perante o juiz Parker correu muito bem. Pude explicar que a Eastern Airlines estava em uma tremenda dificuldade e que os funcionários estavam em uma situação muito precária. Observei também que, se o contrato da ponte aérea não fosse fechado e a Eastern não recebesse meus US$ 365 milhões, todo mundo da linha aérea em breve poderia estar desempregado. Para finalizar, destaquei que o patrimônio estava se deteriorando e logo valeria bem menos do que eu estava disposto a pagar. Enquanto falava, pude sentir que todos os argumentos causaram grande impacto no juiz, que descobri ser um cara maravilhoso.

Ganhamos o processo, e, com as distrações legais para trás – ou pelo menos foi o que pensei –, mergulhei de volta no processo de fazer a Trump Shuttle decolar. A essa altura eu havia contratado uma equipe, incluindo executivos que haviam ajudado a criar a Pan Am Shuttle. Eles, por sua vez, montaram uma equipe para tratar da obtenção de todas as aprovações e licenças da Agência de Aviação Federal, bem como contratar pilotos e outros funcionários, elaborar um plano de *marketing* e trazer *designers* para reformar os 727 que eu estava adquirindo da Eastern. Era um empreendimento imenso, mas a adrenalina de todos estava fluindo, e o moral na minha recém-criada divisão aérea não poderia ser mais elevado.

Só que um dia, em meio a todos esses preparativos, soubemos que os sindicatos haviam apelado contra a decisão do juiz Parker. De certa forma, não era surpresa. Tudo que interessava aos sindicatos naquele momento era destruir Frank Lorenzo. Era quase como se ele fosse o diabo e tivesse que ser derrotado a todo custo.

No entanto, deixando a emoção de lado, o que os sindicatos estavam fazendo era extremamente autodestrutivo. Afinal, lá estava eu, um novo jogador que queria forjar uma aliança com os trabalhadores enquanto lançava a Trump Shuttle. Agora, com o recurso, as mesmas pessoas que poderiam se beneficiar do fato de eu estar adquirindo a linha aérea estavam atrasando, e provavelmente arruinando, o negócio.

O processo de apelação levaria um tempão, e, enquanto o caso estivesse pendente, eu não poderia fechar o negócio. Se eu desse um cheque de US$ 365 milhões pela Eastern, que estava à beira da falência, e os sindicatos ganhassem, poderia ser forçado a devolver a ponte aérea mesmo que a Eastern não tivesse o dinheiro para me restituir. Embora estivesse ansioso para colocar a ponte aérea em funcionamento e confiante na vitória, não podia arriscar US$ 365 milhões nessas circunstâncias.

Outra coisa que me preocupava era que, enquanto o processo se arrastasse, eu teria que continuar dando duro para conseguir todas as aprovações e contratar centenas de funcionários antes de assumir a empresa. Em outras palavras, grandes quantidades de tempo, energia e dinheiro seriam gastas nos preparativos para um empreendimento que no fim poderia não acontecer. A possível falência da Eastern ameaçava ainda mais a minha posição. Isso poderia tirar a ponte aérea do meu controle e colocar seu destino nas mãos de um juiz cujo interesse seria ver se alguém desejaria cobrir minha oferta e levar a linha aérea.

Em 4 de março de 1989, os mecânicos da linha aérea entraram em greve, e – para surpresa de Frank Lorenzo, acredito – pilotos e comissários de bordo aderiram aos piquetes. Isso significava que a Eastern só poderia realizar uma percentagem minúscula de seus voos. Se os aviões não pudessem voar, não haveria receita. E, sem receita, a falência não tardaria.

Com a situação pior a cada dia, liguei para Frank Lorenzo e expus minhas preocupações sem rodeios. "Olha só, sei para onde a

Eastern se encaminha", disse, "e estou ciente de que você talvez tenha que pedir falência. Isso é assunto seu. Mas mereço alguma proteção."

Acima de tudo, eu queria evitar ser usado como chamariz que endossasse a ponte aérea com um bom negócio, mas no fim não ficasse com ela porque o tribunal de falência e a junta de credores a entregariam por uma oferta maior. Parece que, quando quero comprar alguma coisa, um monte de gente sai da toca abanando dinheiro. Foi o que aconteceu com Merv Griffin e a negociação da Resorts International. Essas pessoas operam em cima da teoria de que, se fiz uma oferta por alguma coisa, a coisa deve valer muito mais do que ofereci.

Para me proteger no caso de a ponte aérea ir ao tribunal de falência, pedi a Frank que retificasse nosso contrato. Eu queria uma cláusula estipulando que a Eastern me pagaria uma soma considerável se por qualquer motivo a ponte aérea fosse para outro comprador. Brigamos muito sobre esse ponto. Mas no fim Frank concordou que US$ 8 milhões viriam para mim caso a ponte aérea acabasse com outro comprador.

Foi uma das minhas melhores manobras, pois garantiu a segurança de saber que eu poderia investir uma grande quantia de dinheiro na ponte aérea e ainda sair do negócio com um pequeno lucro caso não conseguisse o que queria. Mas ainda mais importante do que o dinheiro foi a posição em que o acordo me colocou. Como eu poderia continuar trabalhando a toda velocidade, poderia fechar um contrato pela ponte aérea seis meses antes de qualquer outro — quer dizer, exceto uma companhia aérea já estabelecida. Aos olhos do tribunal de falência, ter condições de agir naquela velocidade me daria grande vantagem.

Foi bom ter me preparado para o pior cenário, pois as coisas na Eastern com certeza não estavam melhorando nada. A empresa conseguiu manter a ponte aérea funcionando depois da greve, mas sua participação no mercado diminuía constantemente. Os passageiros não queriam passar pelos piquetes, principalmente para voar por uma linha aérea cujos mecânicos regulares não estavam trabalhando. Nem mesmo uma tentativa de promover a ponte aérea cobrando tarifas menores teve efeito duradouro nos níveis de ocupação. O patrimônio estava se deteriorando diante dos meus olhos.

Liguei para Frank Lorenzo e pedi para renegociar nosso acordo outra vez. Ele não ficou exatamente feliz em me ouvir, mas, com a fatia de mercado caindo de 56% para 17%, é provável que também não tenha ficado surpreso. "Frank", disse eu, "o valor do que comprei de você está se desintegrando. A Pan Am está pegando os passageiros não porque esteja boa, mas só porque está lá." Pedi que incluísse mais cinco 727 no nosso contrato de US$ 365 milhões para compensar a redução do valor da ponte aérea. Argumentamos amargamente sobre esse ponto, mas por fim Frank concordou em dar os aviões. Foi uma pequena vitória. Aumentou o valor do meu negócio e permitiu reformar minha frota sem ter que tirar aviões do serviço.

A essa altura eu estava de fato começando a ficar otimista de novo em relação à ponte aérea, pois tinha conseguido tirar algo de bom de uma situação muito ruim. Mas se a história dessa negociação prova alguma coisa, é o valor da perseverança face à adversidade. Para completar, em 9 de março a Eastern pediu falência. Quando isso aconteceu, o controle da companhia passou de Frank Lorenzo para o tribunal de falência e a junta dos credores, e começaram a surgir pessoas interessadas em assumir a empresa.

Uma das primeiras foi Peter Ueberroth, que acabara de deixar o cargo de comissário do beisebol. Peter é um cara maravilhoso e talentoso, cuja ideia era formar uma coalizão de investidores e sindicatos. Nunca entendi como ele esperava que a empresa fosse lucrativa da forma como a estava reestruturando, e até hoje não tenho certeza de que incluísse a compra da ponte aérea. No fim não importa, pois a proposta de Ueberroth veio abaixo quando os sindicatos insistiram que Frank Lorenzo teria que ser substituído imediatamente por um curador antes de se fechar qualquer acordo.

Por essa época o nome de Carl Icahn também veio à tona como um possível comprador da Eastern. Carl, uma excelente mente empresarial, certa vez havia tentado forjar uma aliança com os sindicatos e obtido o controle da TWA na época em que Frank Lorenzo estava muito interessado em adquirir a companhia aérea. Teria sido interessante ver aqueles dois em ação, para dizer o mínimo. Mas Icahn não deve ter gostado do que descobriu sobre a Eastern, pois o negócio nunca passou das conversas iniciais.

O choque mesmo veio quando uma empresa relativamente pouco conhecida, a America West Airlines, de Phoenix, Arizona, entrou em cena. A America West estava interessada na ponte aérea e contatou o tribunal de falência e a junta de credores da Eastern designada para tratar do assunto com uma oferta complexa que era, sob qualquer uma das várias opções propostas, pelo menos US$ 100 milhões maior do que a minha. Lembro-me de receber a notícia e ir até o escritório do meu irmão e dizer: "Bem, nossa negociação morreu".

Eu não sabia muita coisa sobre a America West na época, mas, pessimista, fiz uma pesquisa sobre a companhia. Descobri que era uma das poucas companhias aéreas novas que tinham conseguido sobreviver e era muito bem-vista em Wall Street. Tinha uma gestão muito agressiva e uma reputação muito boa no serviço aos passageiros. O problema era que, nos dois anos anteriores à oferta, a empresa tinha enfrentado dificuldades financeiras. Sua agressividade havia causado certa extensão excessiva em termos de financiamento, e a firma tinha perdido dinheiro. Contudo, naquele ano estava indo muito bem e de fato apresentando lucro.

Já que parecia uma organização tão astuta, fiquei verdadeiramente surpreso por sua oferta ser tão maior do que a minha. Mas deduzi que, devido à reputação, a companhia deveria ter financiamento. Normalmente, quando uma empresa faz uma proposta por uma propriedade, ainda mais em uma situação na qual a oferta é notícia de primeira página no *Wall Street Journal* e em vários outros jornais, já tem o dinheiro disponível de antemão e não entra em uma negociação que não possa ser consumada.

Embora a situação parecesse ruim, não me senti derrotado. Liguei para Harvey Freeman, um alto executivo meu que fora essencial ao se forjar o acordo com Frank Lorenzo. "Agora", disse a Harvey, "vai começar a guerra."

A primeira coisa que Harvey e eu fizemos foi cavar mais fundo na minha pesquisa sobre a America West. Com isso, comecei a ver falhas que poderiam ser exploradas. A empresa era altamente alavancada e, apesar de ter tido algum lucro naquele ano e estar obviamente indo na direção certa, o balanço não era aquela firmeza toda. Então falei para Harvey, Robert e todo o meu alto escalão que queria que o mundo soubesse da situação instável da America West. Sabia que não seria difícil espalhar a notícia. A mídia estava toda em cima da história da Eastern.

Dias depois me vi conversando com um repórter do *Wall Street Journal* que desde o início cobria em grande profundidade o caso da Eastern Airlines. Descrevi em detalhes o que havia descoberto sobre a empresa e concluí: "Na minha opinião, se a America West fizer a transação e pagar o preço absurdo que está oferecendo, em breve se transformará na próxima People Express". Em outras palavras, estava dizendo que a oferta deles era tão excessiva que os levaria rapidamente à falência.

No dia seguinte, o *Journal* publicou uma história na coluna direita da primeira página – o espaço mais prestigioso do jornal – baseada em grande parte na minha entrevista. A manchete dizia: "Oferta da America West pela ponte aérea pode apresentar grandes riscos; Trump, licitante rival, põe em dúvida recursos financeiros da empresa; expansão anterior fracassou".

A história começava assim: "Donald Trump mal consegue esconder o desdém pela America West Airlines, companhia aérea da qual afirma nunca ter ouvido falar antes de esta ter coberto sua oferta pela Eastern Shuttle com uma proposta de US$ 415 milhões". Então continuava com uma frase minha: "Basta examinar o balanço para ver que não é uma companhia em condições de pagar mais pela ponte aérea. Não é a IBM. Se eu fosse um banco, não lhe emprestaria dinheiro para nada". Daí em diante a história explicava, nas palavras do jornalista, as dificuldades da America West com financiamento.

O *Wall Street Journal* – certo ou errado – tem um bocado de poder, e a reportagem de primeira página ilustrou isso vividamente. Considere que o juiz havia definido um prazo-limite para o financiamento, e a America West estava muito perto de obter o financiamento na manhã em que o artigo foi publicado. Em menos de 24 horas, a America West foi arrasada. Como resultado da reportagem do *Journal*, ondas de choque alastraram-se por Wall Street e pelas comunidades financeira e de aviação, e a America West perdeu sua credibilidade. No último momento, a despeito dos repetidos anúncios da empresa de que não teria problema em conseguir dinheiro para honrar a oferta, a America West anunciou que tinha de retirar a proposta por falta de financiamento. O juiz determinou então que a ponte aérea seria minha.

A derrota da America West não só fez com que eu me sentisse ótimo, como também me tornou muito popular em certos bancos. O que poucas semanas antes era considerado uma sólida transação comercial se transformou em uma das grandes negociações da década. De repente todo mundo corria para me emprestar dinheiro para comprar essa propriedade maravilhosa, e, embora eu já tivesse financiamento do Citibank, fui inundado por telefonemas de outras instituições querendo saber se poderiam ter parte do financiamento ou todo ele e prometendo todo tipo de acordos melhores. Em retrospecto, considerando as condições de mercado que haviam afetado a ponte aérea, hoje parece que não deveriam ter feito aquelas ofertas.

Apenas balancei a cabeça e sorri. O sucesso com frequência é apenas uma questão de percepção. Tratava-se do mesmo acordo que eu fizera meses antes. Porém, como outra empresa tinha entrado em cena, oferecido bem mais e desistido, de repente fui visto como um vencedor maior que antes.

A negociação da ponte aérea também comprovou o valor de ser jogador de pôquer. Quando a America West apareceu, todos queriam que eu aumentasse minha oferta em US$ 100 milhões para adquirir a linha aérea. No entanto, eu sabia que não aumentaria minha oferta em um centavo. Eu queria ficar firme e arriscar. Se alguém estivesse disposto a pagar centenas de milhões de dólares a mais do que eu, deixaria essa pessoa ter o que queria e lhe desejaria boa sorte.

Foi uma experiência tensa; sob circunstâncias ligeiramente diferentes, a negociação poderia ter sido bem mais suave. Mas, quando revejo a situação, penso em um amigo meu, um político muito bom e talentoso que estava concorrendo a um cargo para o qual não havia adversários, ou assim pensava ele. No último momento, um desafiante muito forte anunciou que se candidataria. De início meu amigo ficou arrasado. De um dia para o outro, ele saiu de uma campanha fácil para encarar a perspectiva de muito trabalho árduo, seguido de possível derrota. Mas não desistiu. Em vez disso, fez uma grande campanha e acabou dando uma surra no concorrente. Nunca me esquecerei dele me contando, depois, que o desafio fora a melhor coisa que poderia ter acontecido – transformou algo sem graça em uma importante vitória política. Como teve de lutar pelo cargo, a vitória foi muito mais doce.

Sei o que ele quis dizer. Olhando para trás, fico feliz pela America West ter aparecido. Acabou proporcionando a mim e à Trump Shuttle um tremendo impulso.

É preciso mencionar que uma das pessoas mais prestativas para a causa trabalhista depois que a não sindicalizada America West entrou em cena foi o governador do estado de Nova York, Mario Cuomo. Por meio de seu brilhante conselheiro para desenvolvimento econômico, Vincent Tese, presidente da Corporação de Desenvolvimento Urbano do Estado de Nova York, Cuomo deixou claro que estava cansado de ver os sindicatos da Eastern serem manipulados. Tinha pouca compaixão por companhias aéreas não sindicalizadas como a America West, vinda de Phoenix para explorar uma situação já deplorável. Exercendo sua influência, o governador Cuomo fez um serviço realmente excelente para os funcionários sindicalizados da Trump Shuttle, não apenas preservando seus empregos, mas também os ajudando a obter uma grande vitória moral.

Quando assumi o controle, a ponte aérea da Eastern tinha apenas 17% do mercado. Hoje a Trump Shuttle está operando lindamente, com aeronaves com manutenção impecável, maravilhosas em solo ou no ar. No momento em que escrevo este livro, nossa participação no mercado cresceu para cerca de 50%. Parece bom, mas, para mim, francamente é decepcionante, pois temos uma operação muito melhor – terminais, aviões, serviço – que a da Pan Am.

Estava um pouco preocupado quando assumi a ponte aérea, pois tinha consciência de que a Eastern era conhecida pela animosidade com os passageiros e pelo mau serviço. Presumi que a atitude estava incutida nas pessoas que trabalhavam para a Eastern. Ledo engano.

O astral dos funcionários e o atendimento aos passageiros da nova Trump Shuttle melhorou muito mais do que se eu tivesse contratado toda uma nova equipe. Os funcionários da Eastern tinham sido sufocados durante anos. Quando se soltaram, houve uma tremenda explosão de energia. Quiseram provar que podiam dar conta do serviço. Quiseram mostrar ao público e ao mundo que todos estavam errados sobre eles. E, rapaz, conseguiram mostrar.

Talvez o exemplo mais espetacular do tipo de pessoa que trabalha em meus aviões seja o capitão Bob Smith. Foi numa tarde chuvosa de verão, poucos meses depois de ter comprado a ponte aérea, que ouvi falar pela primeira vez desse piloto extraordinário. Estava no meio de uma conversa telefônica de rotina, tentado convencer a rede McDonald's a alugar um terreno que tenho no Brooklyn para uma lanchonete. Estava negociando com os representantes do McDonald's, dizendo que meu terreno era o melhor da história do *fast-food* ou coisa que o valha, quando um de meus executivos entrou no escritório e disse que tinha que falar comigo imediatamente. Deixei o McDonald's esperando na linha.

"Tenho boas e más notícias", despejou o executivo. "A boa é que temos um excelente piloto de avião."

"Hã?", indaguei. "De que avião você está falando?"

"Essa é a má noticia", respondeu ele. "Estou falando do avião que está sobrevoando o aeroporto Logan, em Boston, porque uma das rodas não baixa."

A primeira coisa que fiz foi ligar a TV. E ali, ao vivo pela CNN, meu avião se preparava para aterrissar. A aproximação pareceu levar séculos, mas por fim o capitão Smith pousou perfeitamente com o 727.

Não pude acreditar que a coisa tivesse sido tão suave como parecia, mas minutos depois os passageiros começaram a aparecer diante das câmeras dizendo que tinha sido como uma aterrissagem normal. Não sentiram nada. De fato, mais tarde verifiquei os registros e vi que praticamente todos os que tinham bilhete de volta para Nova York retornaram com a Trump Shuttle.

"Preciso ir até lá e agradecer ao piloto", disse.

Àquela altura, vários membros da minha equipe tinham se juntado ao redor da TV para assistir à aterrissagem. Todos me olharam como se eu fosse louco.

"Só vai render notícia ruim para a Trump Shuttle na imprensa, mais coisa negativa", disse um deles, falando pelo grupo. "Deixe quieto."

Era um problema clássico de gestão: ir ou não ir. Mas, com todo o respeito por essas pessoas ótimas, elas estavam tomando a decisão errada.

"Sei como as companhias aéreas normalmente tratam desses assuntos", disse eu. "Mas não há nada de negativo nisso. Negativa é uma catástrofe. O que temos aqui é um excelente piloto que mostrou talento e elegância sob pressão – um herói."

Fui imediatamente a Boston no primeiro voo para parabenizar Bob Smith e toda a tripulação publicamente. A atenção que recebemos na mídia como resultado da minha visita foi maciçamente positiva. No dia seguinte, os números da Trump Shuttle subiram de modo considerável.

Apesar de todos os progressos, a situação da ponte aérea continua complicada. As viagens de negócios no nordeste estão em baixa no geral, e os custos estão bem mais altos do que o planejado. Cheguei a dizer a um repórter do *Wall Street Journal* que venderia se conseguisse o preço certo.

Aos poucos comecei a perceber – como aconteceu com o Plaza – que reformar uma propriedade maravilhosa não basta para cobrir as despesas quando se está quitando uma grande dívida pela aquisição. Cometi um erro tático ao falar em público que poderia vender a ponte aérea, pois a confiança das pessoas na companhia está sujeita a ser abalada se parecer que estou caindo fora. A ponte aérea agora dá lucro. Francamente, estou feliz por tê-la recuperado. Estou orgulhoso pelo modo como ela melhorou. Atualmente é a melhor.

8

NAVIO DOS TESOUROS
O *TRUMP PRINCESS*

Sempre tive interesse por Adnan Khashoggi – de início por seu sucesso e mais recentemente devido aos problemas espetaculares e à forma como lidou com eles.

Khashoggi, um saudita, é um dos maiores corretores do mundo. Posso dizer honestamente que nunca encontrei nem ouvi falar de ninguém melhor na parte frívola do negócio – as festas, a fofocagem, o acúmulo de favores prestados que mais tarde você cobra quando precisa para fechar um negócio.

De certa forma, Khashoggi me lembra Steve Rubell, o falecido coproprietário do Studio 54 e de outros pontos badalados de Manhattan. Ambos conseguiram usar um cenário social muito importante em benefício próprio. Ambos também granjearam tremenda fidelidade em quase todas as pessoas de grande poder com quem tiveram contato. A diferença é que para Steve, um bom amigo, as festas eram um fim em si. Como disse alguém em seu funeral: "Ele sabia como fazer as pessoas se sentirem bem". Khashoggi, por outro lado, usava vinho, mulheres e momentos loucos para montar negociações de incontáveis bilhões de dólares.

Se apenas tivesse continuado a fazer o que sabia bem fazer, que era criar uma química entre as pessoas e juntá-las em seu papel de corretor; se apenas tivesse colocado suas comissões em um banco suíço e se esquecido delas, Khashoggi seria inacreditavelmente rico hoje. Mas ele queria desempenhar um papel maior e mais importante na vida e acabou ajudando Ferdinando e Imelda Marcos, e foi acusado de fraudar o governo das Filipinas em dezenas de milhões de dólares (acusação da qual se livrou). Surgiu também como uma figura-chave no caso Irã-contras. Seu mundo veio abaixo. Durante uma visita a Berna, na Suíça, foi preso e por fim extraditado para os Estados Unidos. Outrora amigo de reis, presidentes e príncipes, foi reduzido por um tempo a andar por Manhattan com uma tornozeleira eletrônica que alertava a polícia caso saísse dos cinco bairros de Nova York.

Em 1987 ainda não conhecia Khashoggi e não sabia se o acharia interessante pessoalmente. Mas tinha lido *muito* sobre ele nos últimos anos e achava sua queda em desgraça absolutamente fascinante. Por isso, quando Norma chegou dizendo que havia alguém ligando da Inglaterra a respeito da venda do famoso iate de Khashoggi, larguei o que estava fazendo e peguei o telefone.

Nunca fui muito de barcos. Por isso, sinceramente não sabia do que o corretor, um inglês chamado Jonathan Beckett, estava falando quando se referiu a "barcos de apoio", "bojo" e "botes". Não podia nem avaliar se o preço que Beckett estava pedindo pelo iate – US$ 50 milhões – era realista, embora suspeitasse que poderia conseguir por menos. Tudo que sabia com certeza era que queria aquela embarcação.

Normalmente, quando faço um negócio, ele se encaixa em um plano maior. Compro um hotel na Boardwalk de Atlantic City porque preciso de quartos para os clientes do meu cassino, ou invisto em uma cadeia de lojas de departamento, como a Alexander's, porque a empresa tem imóveis bastante desejáveis. Mas a compra do iate foi algo totalmente diferente. Foi um negócio feito estritamente pela arte da negociação: arte pela arte. De certa forma, lembrou-me de quando comprei Mar-a-Lago, minha casa em Palm Beach. Eu não *precisava* de uma casa de 118 cômodos na Flórida, tampouco precisava daquele barco de 282 pés. Vi apenas a oportunidade de adquirir algo por um preço fantástico e aproveitei o momento.

O iate tinha sido uma ferramenta muito importante no ofício de Khashoggi – soube disso enquanto escutava a proposta de Jonathan Beckett ao telefone naquele dia. Com suas cozinhas e adega imensas e um tanque grande o bastante para fazer uma viagem ao redor do mundo sem parar, o *Nabila*, como então era conhecido, era o barco definitivo para festas. Vinha completo, disse Jonathan, com um deque privativo para banhos de sol, sala de massagem, sauna a vapor e uma suíte máster estonteante, com teto de casco de tartaruga e uma cama para seis pessoas. O box do chuveiro no banheiro do quarto principal era esculpido em ônix sólida. Um dos salões estava cheio de fliperamas e videogames. Havia também uma discoteca com sistema de iluminação a laser primoroso, máquina para lançar nuvens de gelo seco na pista de dança e um teto com painel no qual eram projetadas imagens de Khashoggi, seus convidados e sua família no ritmo da música.

"É a última palavra em opulência", disse Jon Beckett.

Concordei que parecia incrível. Mas, na minha opinião, os toques de Khashoggi eram um tanto exagerados demais. Afinal, havia portas secretas que permitiam aos convidados esgueirar-se para os quartos uns dos outros e espelhos falsos para *voyeurs*. Soube depois que Khashoggi, no auge do sucesso, alugou um andar inteiro de um hotel em Monte Carlo, onde ficavam as belas mulheres que iam a suas festas. Não tenho interesse em fazer julgamentos morais sobre as pessoas, de modo que não posso dizer que fiquei chocado ao saber das festas desregradas que aconteciam a bordo do *Nabila* – nome, por sinal, da filha de Khashoggi. Acho que nada mais é capaz de me chocar.

Não que esse comportamento desregrado seja tão comum entre os ricos e famosos. Ao contrário disso, a maioria das pessoas bem-sucedidas que conheço está tão envolvida no trabalho que nunca sai da linha. A não ser que goste de falar de negócios imobiliários ou do mercado de ações, provavelmente você vai achá-las maçantes. Não incluo Khashoggi nesse grupo.

Embora não tenha ficado particularmente feliz ao ver Khashoggi forçado a vender o iate magnífico, posso dizer honestamente que não me importei de ser o beneficiário.

Jonathan Beckett mais tarde me contou que as negociações de um iate grande às vezes levam dois ou três anos para ser concluídas. A negociação do barco de Khashoggi, no entanto, foi rápida e relativamente suave. Não havia motivo para não ser. Eu era um comprador interessado, e o vendedor estava ainda mais ansioso que eu.

Àquela altura a vida de Khashoggi era uma confusão tal que ele não era mais o proprietário do *Nabila*. O iate tinha passado para as mãos do sultão de Brunei, que o tomou na liquidação de um empréstimo de US$ 50 milhões. Do meu ponto de vista, não fazia muita diferença. De qualquer forma, ainda estava tratando com alguém que queria se desvencilhar do iate o mais rápido possível.

Depois de uns vinte minutos de conversa naquela primeira ligação sobre o iate, ofereci comprá-lo por US$ 15 milhões. Beckett, que tinha me ligado do nada para discutir a oportunidade, deve ter ficado chocado. Em primeiro lugar, ao saber que eu tinha visto o iate apenas uma vez, de relance, em Monte Carlo, no píer. Posso tomar – e com frequência tomo – decisões importantes de imediato, e isso às vezes atordoa as pessoas. Uma de minhas maiores vantagens é que sou um indivíduo, não uma corporação, e não tenho que voltar à sede e lidar com burocracia.

Outro motivo pelo qual Beckett provavelmente não pôde acreditar no que estava ouvindo é que a oferta foi muito baixa. Considerando que o iate provavelmente custou US$ 85 milhões para ser construído, no início da década de 1980, e que construir um idêntico naquele momento custaria entre US$ 150 e 200 milhões, eu sabia que meu preço era irreal e que teria que pagar bem mais se quisesse mesmo o barco. Mas eu queria ver logo se o *Nabila* seria a pechincha que eu pensava. Se Beckett rejeitasse minha oferta e a negociação parasse ali mesmo, eu saberia que não conseguiria um ótimo preço, e esse provavelmente seria o início e o fim do meu fascínio por barcos.

Contudo, a resposta de Jonathan foi que se organizaria para vir de Londres a fim de podermos conversar mais. Tomei como um sinal de que minha oferta ridiculamente baixa no fim das contas poderia não ser tão ridícula.

Às vezes, as negociações mais glamourosas e mais noticiadas no fundo não são mais complicadas do que aquilo que acontece todos os dias em qualquer loja de carros usados. Com certeza essa negociação foi tudo, menos complexa. Quando Beckett entrou em meu escritório poucos dias depois, pediu US$ 32 milhões pela embarcação. Fiz uma contraproposta de US$ 28 milhões, calculando que no fim chegaríamos a US$ 30 milhões – o que fizemos após uns trinta minutos de conversa.

No dia seguinte, depois que a história saiu nos jornais, dúzias de pessoas ligaram para a firma de Jonathan Beckett, a Nigel Burgess, oferecendo-se para superar minha oferta por muitos milhões de dólares. Eu advertira Jon de que isso aconteceria, por isso não ficamos surpresos quando gente de quem nunca se ouvira falar antes de repente tentava cobrir minha proposta. Acho que Jon nem atendeu os telefonemas.

Entretanto, houve um acontecimento inesperado após termos chegado a um acordo sobre o preço. Recebi o telefonema de um representante do sultão de Brunei dizendo que Khashoggi estava preocupado com a possibilidade de o nome da filha ser usado no barco. Claro que eu não tinha intenção de continuar chamando o iate de *Nabila*. Mas minha primeira reação foi não abrir mão de nada sem ganhar alguma coisa em troca.

"Vou pensar", disse eu. E pensei – até o intermediário ligar de novo alguns dias depois para dizer que o sultão, em respeito a Khashoggi, estava disposto a retirar US$ 1 milhão do preço da compra se eu concordasse em mudar o nome do barco. Eu disse que tudo bem, e o preço final ficou em US$ 29 milhões.

Agora eu encarava a questão de o que fazer com o barco. Por mais que gostasse dele como uma obra de arte, sabia que nunca se tornaria parte do meu estilo de vida. Eu poderia gostar de fazer um cruzeiro ao redor mundo perambulando pelos cinco deques e cento e tantos cômodos do iate – quem sabe? Sendo realista, eu sabia que jamais faria isso. Relaxar me deixa nervoso.

Em vez disso, vi uma grande oportunidade de usar o *Trump Princess* para fins empresariais. Poderia dar festas em Nova York para dignitários em visita à cidade e poderia convidar a mídia a bordo sempre que tivesse um novo projeto importante para anunciar. Mas senti que Atlantic City era o local onde o iate se ajustaria melhor. Não só eu estava construindo uma nova marina magnífica no Trump Castle, como também o iate parecia sob medida para uma cidade onde os grandes apostadores gravitam em torno da opulência e do luxo.

O plano que vislumbrei foi fazer do *Trump Princess* uma espécie de suíte flutuante para grandes apostadores. Apenas os clientes mais importantes do Trump Castle, Trump Plaza e Taj Mahal teriam o privilégio de ficar a bordo do iate com toda a minha tripulação a seu dispor sem custo algum. Eu sabia que isso mexia com a psicologia dos grandes apostadores. Eles são um bando muito variado, mas todos aproveitam a vida a pleno. Esperam o melhor e não aguentam gente ou situações sem graça. Sabia que o *Trump Princess* era sob medida para pessoas que não cansam de ser paparicadas.

Antes de ir muito longe com meus planos, porém, eu tinha que fechar o contrato do iate – o que se mostrou mais difícil do que a negociação do acordo básico. Um dos problemas é que havia vários componentes do barco espalhados pelo Mediterrâneo. Um dos barcos de apoio – uma lancha, como fiquei sabendo, que transporta passageiros do iate ao cais – estava em Antibes. Duas outras estavam em Monte Carlo. Já o iate estava em San Remo, na Itália. Não havia como me afastar por um tempo dos meus outros negócios para viajar e inspecionar tudo. Por isso, ansioso como estava para enfim pisar a bordo do *Trump Princess*, pedi a Jeff Walker para tratar do fechamento do negócio.

Jeff, meu amigo desde que frequentamos a Academia Militar de Nova York, é o vice-presidente encarregado de projetos especiais da Organização Trump. Chamo Jeff de "O Olho" porque tem um ótimo senso estético e também porque, como eu, não é ofuscado pela beleza; quando ele olha algo com que todos estão embasbacados, detém-se nas mesmas pequenas imperfeições que eu nunca deixo de ver. Além disso, Jeff cresceu perto das docas e entende de barcos.

Infelizmente, ter Jeff me representando não significou ter um fechamento rápido. Todos os dias todos os advogados e conselheiros de ambas as partes embarcavam no iate e zarpavam para um ponto a pelo menos doze milhas da costa italiana para que o negócio fosse consumado em águas internacionais e ninguém tivesse que pagar impostos. E todas as noites o *Trump Princess* voltava para San Remo sem que ninguém tivesse assinado o contrato de venda.

Não é que algum dos lados estivesse sendo inflexível; o problema é que havia um inventário imenso a ser examinado, e tínhamos que nos certificar de que toda a prataria, as roupas de cama e mesa artesanais e os cristais valiosos que eu havia negociado para incluir no preço de compra estavam de fato a bordo. Depois de dias navegando e verificando, constatou-se que faltava pouquíssima coisa. Khashoggi havia deixado muitos objetos extremamente valiosos de ouro, prata e porcelana. Curiosamente, faltavam vários fliperamas que não valiam mais que algumas centenas de dólares.

Quando enfim fechamos o acordo, voei para a Itália para ver o barco. Ao percorrer o *Trump Princess* pela primeira vez, fiquei eletrizado – e honestamente surpreso. Eu esperava algo fabuloso, mas era ainda melhor do que havia imaginado. Era óbvio que Khashoggi não havia poupado nos gastos. Tinha obtido couros, camurças e tecidos da melhor qualidade. O acabamento das portas curvas de cada camarote era absolutamente deslumbrante. De fato, o trabalho de marcenaria em todo o barco era diferente de tudo que eu já vira. Ao abrir um guarda-roupa e puxar uma gaveta, via-se que o interior desta tinha o mesmo acabamento laqueado lindo da parte externa do armário. E havia toques de alta tecnologia por toda parte. Um botão na mesa de cabeceira ao lado da cama de casal abria automaticamente uma gaveta contendo botões para ligar a televisão e o ar-condicionado e baixar a tela de cinema.

Ao mesmo tempo, havia sinais de que o iate tinha sido bastante usado. Por exemplo, dúzias de marquinhas no teto, nos pontos onde rolhas de champanhe haviam espocado. E manchas nos carpetes, e partes puídas em alguns sofás. Essas coisas podem não incomodar a maioria das pessoas, mas disparam um alarme em mim.

"Quero que este barco fique perfeito", disse a Jeff Walker, que me acompanhou no passeio pelos deques. "Quero que qualquer coisa desgastada seja substituída. Quero que qualquer coisa suja seja completamente limpa." Também falei que estava disposto a gastar US$ 3,5 milhões para o iate ficar novo em folha.

Dei o serviço de reforma do iate a um grupo holandês chamado Amels. Não falei com muita gente sobre a obra; não tive tempo. Já era dezembro de 1987, e eu queria um trabalho rápido para que o iate pudesse passar o verão de 1988 em Atlantic City e Nova York.

A Amels é uma pequena organização situada na cidade de Makkum, na província da Frísia, nos Países Baixos. Fiz algumas indagações, e a Amels tinha uma bela reputação por cumprir o prometido e terminar os projetos no prazo. Também descobri por mim que tinham muito orgulho do trabalho deles.

O *Trump Princess* é tão grande que colocá-lo no estaleiro de iates da Amels no lago Ijseel se revelou um problema. A água do canal que leva ao galpão de reparos da Amels, como é chamado, teve que ficar excessivamente alta – tão alta que ameaçou inundar fazendas vizinhas. Precisamos de permissão especial do governo holandês para manter a água no nível necessário, mas isso não foi problema, uma vez que o serviço encomendado seria muito benéfico à economia local. Felizmente não houve nenhuma enchente séria, apesar do enorme tamanho do iate. Houve, no entanto, uma dose de momentos de tensão, uma vez que o canal era estreito e tínhamos apenas um metro de folga de cada lado.

Depois de colocar o iate no galpão, o pessoal da Amels começou a desmontar tudo imediatamente. A primeira tarefa foi trabalhar no casco, que não estava tão bem-acabado quanto poderia. Orgulho-me de aprender rápido, e na minha primeira turnê de inspeção havia reparado que o casco obviamente apresentava ondulações – resultado, como fiquei sabendo depois de algumas indagações, de o *Nabila* ter sido construído em um estaleiro de navios, e não em um estaleiro de iates, onde os padrões de acabamento da parte externa são mais elevados. Quando comentei com o pessoal da Amels, garantiram que, depois que descascassem o casco até deixar apenas o aço e preenchessem as concavidades com uma massa especial, o iate teria as linhas absolutamente perfeitas que merecia.

Outra mudança que determinei depois de conversar com o capitão e a tripulação foi uma conversão do sistema de um só leme, que tornava o barco muito difícil de manejar, para um sistema de lemes duplos. Agora, diz o capitão Richard Cuckson, o enorme iate faz manobras como se fosse uma lancha.

Acho que nunca vi pessoas trabalharem com mais afinco do que a equipe da Amels. Desmontaram os motores e remontaram, instalaram novos sistemas de comunicação e de radar e atualizaram todos os equipamentos eletrônicos. Também tiveram que fazer uma enorme perfuração em uma das laterais do barco para instalar um propulsor de proa adicional, o que facilitaria as manobras do barco ao se aproximar ou distanciar do cais. Precisamos de um segundo propulsor de proa porque as marés são muito mais fortes em Nova York e Atlantic City do que no Mediterrâneo.

Eu estava aprendendo muito, mas houve ocasiões – por exemplo, quando as amostras de tecidos iam e vinham de avião sobre o Atlântico – em que minha experiência na decoração de hotéis e prédios de apartamentos entrou em cena. Numa dessas vezes, os decoradores holandeses depararam com o problema de consertar danos provocados pela água no teto magnífico de um dos camarotes. O teto, uma verdadeira obra de arte, era revestido de um padrão trançado em couro e camurça bege. Quando soube da situação, fiz algumas perguntas e constatei que quase todas as manchas estavam perto das bordas do teto. Sugeri então substituir essas áreas por azulejo. "Mas não tentem igualar a cor", eu disse, "porque nunca será o tom exato, e vai parecer um remendo." Sugeri em vez disso azulejos de cor contrastante, como marrom bem escuro. Assim foi feito, e hoje o teto parece novo, como se sempre tivesse tido aquela sofisticada borda escura.

Quando o iate estava quase pronto, Jeff Walker, que havia meses ia e vinha de Nova York para supervisionar o trabalho, sugeriu que eu fosse lá dar uma olhada, só para ter certeza de que não haveria surpresas desagradáveis. Levei Ivana e sua assistente, bem como minha assessora executiva, Norma. Voamos em meu avião até o aeroporto Schiphol, de Amsterdã, e dali pegamos um helicóptero para a cidade de Makkum, onde aterrissamos já no pátio da Amels. Vários habitantes vieram nos saudar, havia uma bandeira americana no topo de um dos prédios, e todos os funcionários estavam orgulhosos do trabalho. E mereciam – tinham feito um trabalho magnífico.

Fiz apenas duas críticas. Uma a respeito dos 250 telefones a bordo. Não gostei. Não me refiro ao sistema em si, mas ao aparelho.

O pessoal da Amels tinha escolhido um aparelho no estilo europeu contemporâneo, e na minha opinião essa coisa não parece sólida o bastante.

A outra foi um problema com o tecido de alguns sofás. Em vez de colocar material novo, Jeff Walker tentou limpar o que já estava ali, mas restavam algumas manchinhas muito sutis, que provavelmente só eu conseguia ver, mas que me incomodaram. "Não vai dar", disse a Jeff. Ele concordou e imediatamente providenciou a remoção dos sofás e o novo revestimento.

O *Princess* chegou a Greenwich, Connecticut, na tarde do sábado 2 de julho. Era uma visão absolutamente magnífica, acomodado em Long Island Sound, com todos os barcos locais zanzando em volta dele como abelhas ao redor da colmeia. Nem os marinheiros mais experientes tinham visto algo parecido antes.

Dois dias depois, o *Princess* adentrou o porto de Nova York para a comemoração do Dia da Independência. A bordo realizava-se um belo jantar. A lista de convidados estava repleta de celebridades.

No dia seguinte, levamos o *Princess* para Atlantic City, onde teria início sua carreira como atração turística e bônus a ser concedido aos meus melhores clientes. É impossível fazer generalizações sobre grandes apostadores. Alguns são espalhafatosos e grosseirões em roupas berrantes; outros são quietos, quase professorais. Alguns podem ganhar ou perder dezenas de milhares de dólares em uma jogada dos dados e simplesmente ir embora. Vi outros reagir a uma perda tirando o Rolex, jogando no chão e pisoteando. Mas nenhum deles deixou de ficar impressionado com o *Trump Princess*.

Claro que, em outros lugares além de Atlantic City, o *Trump Princess* também simboliza riqueza e sucesso, e em pelo menos uma ocasião isso se revelou um problema. O domingo do Super Bowl de 1989 foi uma loucura. Eu estava no barco em Biscayne Bay, na entrada de uma Miami dilacerada por tumultos; estávamos em um belo *brunch* pré-jogo com Don Johnson e Melanie Griffith, Liza Minelli e outras celebridades. Perto da hora do jogo, quando rumávamos para a costa, perguntei ao capitão: "Que fogo é aquele lá, e onde exatamente vamos atracar?". O capitão, que é inglês, apenas disse: "Oh, não dá para ver direito onde vamos atracar por causa da fumaça e do fogo". "Espere aí", eu disse. "Há dois dias houve um tumulto aí em que incendiaram meia Miami. Se atracarmos esse barco onde as pessoas estão protestando, você vai acabar causando tumultos como nunca viu." O bom senso determina não se atracar um iate de US$ 100 milhões numa zona onde as pessoas estão descontroladas. Fomos para outra parte mais segura da cidade.

O incrível desse iate é que ninguém conseguia olhar para ele sem ter uma reação forte. A imprensa foi completamente à loucura quando o levei pela primeira vez a Nova York. Pensei que o iate ganharia algumas linhas na coluna de Liz Smith e outros lugares. Em vez disso, a *Newsweek* publicou um artigo enorme, a revista *New York* fez uma reportagem de capa, e várias outras publicações nacionais também deram ampla cobertura.

Depois de alguns anos, comecei a pensar em um barco ainda maior, e na verdade tinha desenhado um projeto. Isso é um exemplo clássico de como fico tentando me superar. Ser proprietário do iate mais magnífico do mundo só me fez pensar em ter algo ainda maior e melhor.

Mas, por mais que eu tenha desfrutado até o momento e por mais impressionante que seja para meus clientes dos cassinos, acho que vou desistir do jogo de quem tem o melhor barco. Enquanto escrevo este livro, o *Trump Princess* está à venda. Não preciso mais dele, não o quero mais e, para ser franco, posso fazer coisa melhor com o dinheiro. É engraçado ver como o barco parecia mais adequado à minha vida no passado do que no futuro.

9

BATALHA NA BOARDWALK
A VIDA EM ATLANTIC CITY

Nas negociações em Atlantic City, às vezes me sentia como um general travando guerra em várias frentes ao mesmo tempo. Aqui em Nova York tenho o pessoal de Wall Street compreensivelmente preocupado com os títulos que proporcionam boa parte do suporte aos meus três hotéis-cassino. Lá tenho a Comissão de Controle de Cassinos – e, embora concorde com o objetivo de impedir a ação do crime organizado, lidar com a CCC geralmente não é uma tarefa simples.

E ainda tenho que agradar ao público. A natureza do ramo dos cassinos é tal que existe sempre uma pressão para que eu atraia mais e mais pessoas aos meus locais e as mantenha lá de todas as formas possíveis, recorrendo a grandes nomes do entretenimento, decoração luxuosa e comida de primeira classe. Administrar uma operação bem-sucedida em Atlantic City já seria bastante difícil em circunstâncias no geral favoráveis, como as que prevaleceram na maior parte dos cerca de quatorze anos desde que o jogo entrou em cena. Mas nos últimos anos o mercado do jogo no nordeste parece estar crescendo muito lentamente. E isso, é claro, torna as coisas ainda mais difíceis.

Embora ainda não me considere um tsar do jogo, me envolvi profundamente com os destinos de Atlantic City. Meu primeiro projeto lá foi o Trump Plaza, que construí (em parceria com a Holiday Inns por um tempo) no início da década de 1980. Depois abri o Trump Castle, empreendimento que assumi da Hilton quando a companhia não conseguiu obter uma licença para jogo da CCC. Em 1989 comprei o Trump Regency e um terreno de primeira onde Bob Guccione havia começado a construir um hotel – negócios relativamente modestos, mas, penso eu, interessantes, sobre os quais falarei no próximo capítulo. Finalmente, em abril de 1990, abri a joia da coroa da cidade, o Taj Mahal, meu sinal máximo de confiança no venerável balneário.

Um fato que se perdeu em meio a toda a publicidade adversa que enfrentei em 1990 é que, no todo, meus empreendimentos em Atlantic City são extremamente bem-sucedidos. Administrá-los, no entanto, nunca foi fácil, pelos motivos que já mencionei e pelo custo de pedir emprestado o dinheiro de que precisava para construir e expandir. Tive de começar a consolidar minhas operações e, mais especificamente, renegociar alguns empréstimos bancários oferecidos muito liberalmente.

Apesar desses tempos difíceis, continuo extremamente otimista em relação a Atlantic City, e vou dizer por quê.

Se a cidade consegue atrair dezenas de milhões de pessoas e gerar muitos bilhões de dólares em receita e impostos numa época em que acontece tanta coisa na região que parece planejada para manter as pessoas afastadas ou mesmo afugentá-las, pense no que acontecerá quando se fizerem melhorias. Ou talvez devesse dizer *se* elas forem feitas. Embora confie no crescimento potencial do mercado de Atlantic City, já vi coisas demais dos políticos locais e esperei demais pelo surgimento de um pensador visionário. Espero que o novo prefeito, James Whelan, seja essa pessoa.

Posso deslumbrá-lo com gráficos detalhados do impacto positivo da cidade na economia do estado. Posso apresentar gráficos mostrando o número de empregos criados pela indústria do jogo. Mas, se alguém expressa quaisquer dúvidas sobre o potencial de Atlantic City na minha presença, prefiro contar sobre a carta irada que recebi não faz muito de um homem que tinha ido de helicóptero de Nova York até o Trump Castle.

Parece que no trajeto o piloto anunciou que havia detectado um pequeno problema e, por motivos de segurança, pousaria na área rural de New Jersey para verificar. Deve ter sido uma experiência inquietante para todos os envolvidos, embora felizmente tudo tenha terminado bem. Mas o que deixou o autor da carta absolutamente fulo não foi a aterrissagem inesperada. Não, ele ficou furioso porque a demora lhe custou várias horas de um tempo precioso no cassino.

Esse tipo de entusiasmo por Atlantic City está longe de ser raro. É fácil para as pessoas que nunca estiveram lá esquecer, em meio a toda a conversa sobre um mercado "em retração", as multidões que continuam a chegar de ônibus, carro, helicóptero e – na medida em que possam, dadas as atuais condições dos aeroportos – de avião, de quase toda parte do leste do Mississipi. Em termos de visitação turística, Atlantic City é o destino de viagem número um nos Estados Unidos – mais que Las Vegas, Orlando, ou, acredite se quiser, Nova York. Ninguém que caminhe pela famosa Boardwalk em uma noite de sábado de verão – ou quando há uma grande luta na cidade – deixa de se impressionar com a cena: as luzes piscando, o ruído do parque de diversões, multidões entrando e saindo dos cassinos. Na alta temporada o nível de energia da cidade é incrível, e a ocupação dos hotéis é total. E o dinheiro aflui para os cofres das empresas e do estado, é claro – todo ele proveniente de pessoas que se divertem horrores e que muito provavelmente, como mostram as pesquisas, retornarão.

Essa é a minha definição de uma situação saudável. O problema de Atlantic City é que a baixa temporada é baixa *demais*. Para ser bem-sucedida de verdade, a região precisa gerar frequentadores o ano inteiro. Porém, antes de podermos ter números significativos de visitantes quando as condições climáticas não são nada ideais e as companhias aéreas anunciam tarifas baratas para a Flórida, mudanças radicais são indispensáveis.

É preciso tornar a viagem a Atlantic City mais atraente – tanto para jogadores quanto para não jogadores. É uma ideia simples e não muito controvertida. Não acredito que alguém discorde quando afirmo que, se houver alguma coisa para as crianças fazerem, a família inteira virá e ficará várias noites em nossos hotéis. Atualmente a maioria dos clientes do cassino é de viajantes de um só dia que não pensam na cidade como um verdadeiro local de férias e por isso não contribuem para a economia local tanto quanto poderiam. Podem-se trazer mais idosos de ônibus ou colocar mais *outdoors* até cansar, mas tornar a área multifacetada é a chave para adentrar uma nova era mais próspera.

Ainda assim, transformar Atlantic City em um verdadeiro balneário não é algo que um operador de cassino, por mais influente ou bem-sucedido que seja, possa fazer. E até o momento foi impossível encontrar um político eleito ou nomeado sagaz e poderoso o bastante para virar o jogo. No entanto, acredito que o governador recém-eleito de New Jersey, Jim Forio, com sua grande determinação e imaginação, fará grandes coisas por Atlantic City. Mas tenho de dizer que a história de Atlantic City, até o momento, é uma história de oportunidades perdidas.

A mais elementar das oportunidades perdidas foi a chance de livrar a cidade da ruína e decadência urbana. Mais de uma década depois da legalização do jogo nos cassinos, Atlantic City permanece uma mixórdia de hotéis fantásticos e velhas casas dilapidadas. Todo mundo que chega via Atlantic City Expressway, a principal rota de acesso à cidade, diz a mesma coisa: o contraste entre a velha e a nova Atlantic City é impressionante – e deprimente. Contudo, o que entravava a cidade em 1976 é o mesmo que a entrava hoje. Os envolvidos com a cidade tentam vender Atlantic City como um balneário de luxo. Mas não dá para competir com o sul da França quando se tem um South Bronx em quase cada esquina.

O enlouquecedor é que não há desculpa para o modo como a cidade se desenvolveu. O fato é que *não* estamos falando do South Bronx ou qualquer área urbana problemática típica. Atlantic City tem uma situação singular; é diferente das outras cidades dos Estados Unidos. Na maioria dos lugares, você encontra ideias, mas não há dinheiro suficiente para executá-las. Em Atlantic City há dinheiro e profusão, mas quase não há ideias – só corrupção e nepotismo políticos no passado.

Atlantic City tem dinheiro porque anos atrás foi implementado um fundo para o qual todos os operadores de hotéis-cassino contribuem direitinho. Centenas de milhões de dólares foram para a chamada Autoridade de Planejamento de Reinvestimentos dos Cassinos, mas até agora só saiu dali um loteamento habitacional de baixa renda tão mal projetado e mal localizado que as pessoas não querem morar nele.

Durante uma recente conversa com um amigo da Companhia Disney, ele perguntou se eu já havia pensado em construir uma atração tipo o Disney World em Atlantic City. Peguei o mapa e mostrei a ele.

"O que é esse ponto aqui?", perguntou ele.

"Um projeto habitacional", respondi.

"E esse aqui?", perguntou ele.

Claro que era outro projeto habitacional.

Ele captou a mensagem – Atlantic City nunca se transformará em uma plena terra da fantasia enquanto houver bolsões de pobreza por toda a cidade.

Com certeza a maioria das pessoas pobres quer melhorar de vida e deve ter não apenas uma chance, mas ajuda de verdade. Só que ninguém, rico ou pobre, quer criar seus filhos em uma vizinhança dedicada ao jogo devido a todos os problemas que isso traz. Será que as pessoas destituídas querem mesmo morar ao lado dos cassinos?

Veja os registros: foi muito difícil ocupar a maioria dos complexos habitacionais construídos em Atlantic City nos últimos anos.

Muitas das normas que os operadores de hotel têm de seguir não fazem sentido em uma cidade que está tentando criar uma atmosfera de fuga e fantasia. Por exemplo, posso construir um hotel de US$ 1 bilhão com jardins e fontes fabulosas na entrada. Mas, se um vendedor de cachorro-quente quiser parar seu carrinho imundo e caindo aos pedaços em frente ao hotel, não posso fazer nada.

Atlantic City é realmente uma ilha, e precisamos desenvolvê-la como uma ilha balneária, longe da realidade da vida cotidiana e dedicada exclusivamente à recreação. As enormes quantias de dinheiro da Autoridade de Planejamento de Reinvestimentos dos Cassinos deveriam ser usadas na criação de áreas verdes, *shoppings* e atrações que agradariam a todos os tipos de veranista de todas as faixas etárias. Os cassinos também devem subsidiar a habitação para os pobres – mas boas habitações, situadas em cidades próximas, onde as pessoas queiram morar e manter a família.

A Comissão de Controle de Cassinos é a organização encarregada de regular o setor na cidade. Para começar, direi que esse pessoal está fazendo um trabalho maravilhoso. A influência da máfia em Atlantic City, pelo que sei, é nula. Embora os objetivos da CCC sejam inquestionáveis, o fato é que Atlantic City ainda está muito longe do que poderia ser.

Veja a situação de Las Vegas. Naquela cidade, quando a Corporação Hilton deseja construir mil quartos extras em um de seus prédios, o governo local quase ergue um monumento à companhia.

As autoridades de lá têm uma atitude muito diferente. Estimulam a construção; existe um verdadeiro *esprit de corps* – a sensação de que todos estão trabalhando juntos.

A atitude da imprensa nas duas cidades também é muito diferente. Em Las Vegas, há dois jornais, ambos bastante otimistas. A mídia lá se empenha em acentuar os pontos positivos e fazer críticas construtivas. Em Atlantic City, a imprensa faz um ótimo trabalho sob muitos aspectos, mas a visão sobre a indústria do jogo muitas vezes é negativa ao ponto de ser hostil.

Outra necessidade essencial de Atlantic City é um aeroporto capaz de atender ao tráfego aéreo de grande porte. No momento existem duas pistas de pouso não muito longe da cidade, mas nenhuma apta para o tipo de avião que deveria trazer milhares de jogadores habituais e gente em viagem de férias. Quando as pessoas me perguntam "Precisa *mesmo* de um aeroporto?", respondo: "Tente imaginar Las Vegas sem um".

O estado terá que entrar com a verba para a expansão do aeroporto; contudo, esse processo pode ser longo e frustrante. É preciso peito para um político defender e levar adiante a ideia de que fazer um investimento em Atlantic City hoje significará mais receita fiscal para os idosos, habitações de baixa renda e uma série de outros programas sociais daqui a um tempo. Será interessante ver se, em um estado que ainda está assimilando o fato de ser um importante centro de jogo, vai aparecer alguém disposto a isso.

Devido a todas as melhorias que precisam ser feitas em Atlantic City, os contrastes – entre ricos e pobres, entre a baixa temporada e os meses mais quentes – vão persistir. Mas estou confiante de que me sairei bem. Tenho os melhores estabelecimentos e localizações ótimas. E entendo também que, por mais difíceis que as coisas fiquem, a chave para o sucesso no negócio dos hotéis-cassino, bem como em várias outras áreas, é seguir em frente como se *hoje* fossem os anos dourados.

Mesmo em períodos relativamente desaquecidos, é preciso continuar melhorando os estabelecimentos, reinjetando constantemente grande parte dos lucros na operação. No Trump Plaza, acrescentei a suntuosa garagem Central Park a um custo de mais de US$ 30 milhões. Poderia ter construído um estacionamento perfeitamente funcional e sem requinte por bem menos, é claro, mas achei que a despesa extra valeria a pena se pudesse embelezar a área e ao mesmo tempo proporcionar vagas de estacionamento extremamente necessárias. Nos últimos anos, gastei outros US$ 60 milhões ou mais reformando o interior do hotel e melhorando a fachada das lojas localizadas por todo o prédio.

Enquanto isso, no Castle, instalamos uma marina magnífica, acrescentamos suítes e construímos uma nova ala chamada Crystal Tower. Investi muitos milhões de dólares na propriedade desde que a comprei de Barron Hilton.

O que nem mesmo muitos operadores de cassino percebem é que as pessoas que vão a Atlantic City em geral não reagem bem a promoções de preços e outras pechinchas para atraí-las, pois essas coisas dão um ar de desespero. Frequentadores de cassino gostam de coisas que simbolizam sucesso.

Anos atrás, um de meus concorrentes iniciou uma campanha publicitária bastante dispendiosa dirigida à classe operária dizendo: "Somos o lugar para você". Um enorme equívoco. Sou fã dos operários. Respeito-os como pessoas, preciso deles como clientes e aprecio suas atividades tanto quanto a dos grandes apostadores. Mas o fato é que cada operário quer ser tratado como um grande apostador, não como uma pessoa comum. Essas pessoas gravitam para os símbolos de sucesso; querem *tocar* o sucesso. Sabendo disso, não me surpreendi quando a campanha operária se revelou um fracasso total, causando prejuízo permanente à imagem do hotel que a divulgou.

Não tenho a pretensão de saber exatamente o que no fim acontecerá em Atlantic City – mas existe a chance de ser algo espetacular.

10

PLAYBOY E PENTHOUSE
UM BELO PAR

Em 1989, os problemas que assolam Atlantic City desde seu renascimento chegaram ao ápice. Vários dos doze hotéis-cassino perderam dinheiro, e pela primeira vez desde que o jogo chegou à cidade, um lugar – o Atlantis – foi forçado a fechar. Não fiquei empolgado ao ver isso acontecer. Por outro lado, fui para o telefone negociar a compra do hotel em apuros tão logo senti que era o momento certo.

Por que eu ia querer comprar um imóvel em Atlantic City numa época em que o mercado estava começando a piorar?

Por dois motivos.

O primeiro é que a crise ainda não atingira minhas propriedades. (De fato, apesar de toda a publicidade negativa que sofri, a crise ainda não me afetou tanto quanto à maioria dos outros operadores de cassino.) O Trump Plaza àquela altura tinha uma taxa de ocupação de cerca de 92%, o que significava que só havia quartos vagos no meio da semana da baixa temporada. Nos períodos de pico, dispensávamos pelo menos quatro clientes para cada um que hospedávamos. E pensar nisso me incomodava horrores.

O segundo motivo é que, quando vejo uma pechincha potencial, ajo instintivamente.

Eu estava de olho no Atlantis praticamente desde que fora inaugurado, por Hugh Hefner, como Playboy Cassino Hotel, em 1981. O local sempre me impressionou como um fracasso de bela aparência. Para Hefner com certeza foi um desastre completo. Quando não conseguiu a licença para jogo – em parte porque a Comissão de Controle de Cassinos trouxe à tona alegações de que o gerente do Playboy Club de Nova York poderia ter violado algumas leis estaduais sobre venda de bebida vinte anos antes –, foi forçado a fechar. Foi um grande baque para todo o império da Playboy, que poderia ter sido evitado, ou pelo menos minimizado, se ele tivesse conseguido as licenças necessárias antes de começar a construção. De qualquer forma, Hefner acabou vendendo para sua sócia no projeto, a Elsinore Corporation de Chicago, e o hotel foi reaberto como Atlantis.

O primeiro grande problema do hotel era o nome. Como já disse, ter a imagem certa é extremante importante no ramo dos cassinos, e o nome dá o tom do local. Não há regras para a escolha de um nome; alguns funcionam, outros não. "Trump", felizmente, transmite a mensagem certa. "Atlantis", por outro lado, não significava animação, estabilidade ou sucesso.

Outro problema que a Elsinore encarou foi o cassino de três andares projetado por Hefner. A ideia original era dar um ar de clube inglês, colocando mesas de jogo em vários andares. Por um lado, a

Playboy deve ser parabenizada por tentar fazer algo diferente em uma indústria regulamentada ao ponto de uma mesmice absurda. Só que na prática as pessoas simplesmente não gostam de esperar um elevador para ir, digamos, dos caça-níqueis às mesas de vinte-e-um – e não se sentem melhor por saber que isso é que os descolados fazem em Londres.

Para piorar mais ainda a situação, a Elsinore fez um serviço de *marketing* fraco para o lugar. Os grandes apostadores nunca chegaram perto do Atlantis, tampouco muitos jogadores de US$ 500 a US$ 1 mil, que podem ser o ganha-pão de um cassino. No final de sua gestão da propriedade, o pessoal da Elsinore estava tão desesperado para atrair clientes que oferecia aos que chegavam à cidade de ônibus mais em vales-refeição e outros bônus do que aquelas pessoas poderiam gerar. O cassino na verdade perdia dinheiro com cada um que aproveitava suas promoções excessivamente generosas.

Não era segredo que o Atlantis estava afundando. Tenho o hábito de perguntar às pessoas – motoristas de limusines, executivos de empresas, gente que está por dentro do que rola em Atlantic City – o que acham das ideias que tenho em certas ocasiões. Normalmente, ouço um monte de opiniões diferentes. Mas, em todas as vezes que falei da ideia de comprar o Atlantis, a resposta foi a mesma: disseram que era uma ótima – pelo preço certo.

O Atlantis era um belo hotel de 22 andares e quinhentos quartos, localizado em frente ao centro de convenções do Trump Plaza. Senti que seria sucesso quase certo se pudesse ser operado como um hotel sem cassino, com um nome diferente. Por isso escutei com atenção quando, em várias ocasiões, representantes da Elsinore ligaram para ver se eu estaria interessado em comprar a propriedade.

Só que, não obstante a ânsia de vender, o preço que fixaram para a propriedade, no fim, era despropositadamente alto. A Elsinore não sabia como administrar o local, tampouco como se livrar dele. E assim o *status quo* permaneceu, e as perdas se avolumaram. Em dado momento, há vários anos, o Atlantis realmente faliu, só para emergir do processo e imediatamente retomar a rota de perdas. Em abril de 1989, os comissários do Controle de Cassinos aparentemente tinham visto o suficiente para se convencer de que o hotel estava em terreno financeiro extremamente instável.

Como era de domínio público que o Atlantis havia perdido mais de US$ 65 milhões no ano anterior, o anúncio do provável fechamento não causou grande surpresa. Ainda assim, seria a primeira vez que um cassino de Atlantic City seria forçado a fechar, e a notícia teve efeito desalentador não só na cidade, mas também em outras comunidades que talvez tivessem visto a aprovação da legalização do jogo como uma reposta a todas as suas preocupações financeiras. O fato é que o jogo não é uma panaceia; cria a mesma quantidade de problemas que resolve em uma sociedade.

Por exemplo, com o fechamento do Atlantis, mais de dois mil funcionários corriam o risco de perder o emprego. Além do mais, se não aparecesse logo um comprador, uma cidade que precisava desesperadamente de quartos perderia quinhentos deles – e ganharia um monumento ao fracasso, lacrado com tábuas e aspecto de abandonado.

Mesmo pelas projeções de seu vice-presidente financeiro, o Atlantis teria, se tudo corresse bem, apenas US$ 2 mil acima do mínimo exigido por lei para manter as portas abertas. Se as coisas fossem ligeiramente piores do que o esperado e alguém ganhasse muito, o cassino talvez não tivesse dinheiro suficiente para pagar o cliente. Um analista independente trazido pela CCC examinou a situação e disse aos comissários que o Atlantis estava "fazendo água".

Eu sabia que era apenas uma questão de tempo até receber um telefonema de um representante da Elsinore oferecendo um contrato pelo Atlantis. De certo modo, eu não era o melhor cliente potencial porque, com a compra do Taj, na época ainda não concluída, já tinha chegado ao limite de três licenças de cassino concedidas pela lei estadual a um indivíduo ou empresa. Se comprasse o Atlantis, seria apenas pelos quartos e pelo espaço para convenções; por isso, seu valor para mim seria bem menor do que para alguém que o operasse como hotel-cassino.

Por outro lado, na época eu era praticamente o único investidor em propriedades importantes no mercado de Atlantic City. Se vendessem para mim, obteriam algo em troca do hotel. Se esperassem até um curador assumir o controle, talvez jamais vissem um centavo do preço da venda. Em vez disso, provavelmente fechariam o hotel, medida que deixaria muita gente do Atlantis sem trabalho e provocaria danos à economia local.

Quando a Elsinore ligou, deixei Harvey Freeman tratar do assunto. Ficando fora das conversas iniciais, eu também podia dar uma impressão de indiferença, o que nesse caso trabalhava a meu favor. Afinal, a pressão para agir era da Elsinore, não minha.

O preço inicial, como relatou Harvey, foi mais baixo do que nas discussões anteriores. Ainda assim, era consideravelmente mais alto do que eu achava que conseguiríamos. "Vamos apenas sentar e aguardar", disse a Harvey. "Vamos esperar que nos procurem de novo." O que fizeram – às 18h30 da sexta feira 14 de abril. O *timing* foi significativo: no dia anterior, a CCC havia nomeado como curador do cassino Atlantis um famoso advogado de New Jersey, Joseph Nolan. Com a medida, a CCC determinou que os honorários de Nolan, de US$ 15 mil por mês, deveriam ser pagos pelo fundo de reserva do Atlantis – e que o curador deveria assumir o controle à meia-noite de 15 de abril.

Estava em meu apartamento quando Harvey ligou e contou que o pessoal da Elsinore tinha telefonado para a casa dele e dito que queria fechar um acordo nas próximas horas. Eu havia pensado um pouco sobre o quanto a propriedade valia para mim e tinha um número definido. "Vamos oferecer US$ 61 milhões", disse a Harvey. Ele concordou, mas sugeriu colocarmos mais US$ 2 milhões que seriam reservados a alguns credores do Atlantis dos quais dependeríamos para a provisão de alimentos e outras mercadorias se e quando assumíssemos o controle. "Não queremos essa gente furiosa conosco", disse Harvey. No fim das contas, era um bom preço, considerando-se que a construção do hotel havia custado US$ 159 milhões em 1981.

Cerca de duas horas depois, Harvey ligou de novo e disse que tínhamos um acordo. Nesse ínterim, ele havia contatado meus advogados da Dreyer & Traub e sugerido que nos encontrássemos no escritório deles, na Park Avenue com a Rua 40, às onze da noite. Alguns advogados da Elsinore nos encontrariam lá, disse ele, e poderíamos acertar alguns detalhes de última hora e passar um fax do documento assinado para os escritórios da Elsinore em Chicago antes do prazo final da meia-noite.

Infelizmente, quando se trata de uma propriedade em Atlantic City, as coisas nunca são simples. Em Nova York, pude comprar um hotel como o St. Moritz, vendê-lo com lucro bem acima de US$ 110 milhões, depositar o dinheiro no banco e partir para a próxima negociação sem nunca me incomodar com as licenças. Mas, quando tudo tem de ser aprovado por uma Comissão de Controle de Cassinos, é preciso agir com cautela.

Embora não fosse usar o Atlantis como casa de jogo, quis garantir que a comissão não ficasse desconfiada por eu possuir outra propriedade na Boardwalk. "Se isso colocar em risco minha licença para jogo, não vale a pena", disse a Harvey. Sugeri que ligasse para certo membro da CCC e obtivesse de antemão uma ideia da provável atitude da comissão a respeito da transação antes de eu assinar qualquer coisa. Cerca de uma hora e meia depois, Harvey ligou e disse que, embora o homem deixasse claro que não podia falar oficialmente, não via nada questionável em nossa compra do Atlantis. Embora houvesse o risco de a comissão adotar uma atitude inteiramente diferente, aquilo fez com que me sentisse melhor.

Harvey ficou realmente nervoso durante as negociações finais. Enquanto nossos advogados conversavam com os advogados deles sobre pequenos detalhes, o tempo passava, e ele lembrava a todos do prazo da meia-noite. "Não tem problema, desde que tenhamos um acordo básico até meia-noite", disse um dos advogados da Elsinore. "Bobagem", retrucou Harvey. "Vamos passar esse fax antes do prazo."

Eram exatamente 23h58 quando o fax de nosso acordo foi enviado para Chicago.

Harvey no fim tinha razão de estar tão preocupado com o horário. Logo que anunciamos ter chegado a um acordo para comprar o Atlantis, Joseph Nolan, o curador que deveria assumir a propriedade à meia-noite, ficou louco. De repente não havia necessidade de um curador, e é óbvio que ele não gostou disso. Não sei se ficou mais zangado por perder os honorários ou a chance de brilhar, mas gastou uma quantidade espantosa de tempo e energia tentando convencer a CCC de que deveria invalidar a venda do Atlantis. Argumentou que o preço era baixo demais, que ele deveria ter sido consultado durante as negociações e tentou até mesmo provar que a comissão havia cometido um erro burocrático e que o prazo-limite para a venda do Atlantis deveria ter sido 24 horas antes.

Felizmente tive apoio em minha disputa com o ex-futuro curador. A própria Divisão das Leis de Jogo da CCC estudou o assunto e rejeitou todas as objeções de Nolan, dizendo que eu tinha um acordo válido, assinado a tempo e por um preço justo. Na mesma época, os representantes dos funcionários e credores do Atlantis também foram à comissão pedir a aprovação do meu acordo. Um advogado do Sindicato Internacional dos Funcionários de Hotéis e Restaurantes enfatizou que, se houvesse qualquer demora no processo e o Atlantis fosse forçado a fechar por completo, cerca de 850 trabalhadores perderiam o emprego.

Enquanto isso, eu já havia divulgado em entrevista ao *Newark Star-Ledger* que era altamente improvável que eu fechasse o acordo se o hotel fosse forçado a fechar. Custaria dezenas de milhões de dólares recrutar uma nova equipe do zero, disse. Além disso, seria dez vezes mais difícil transformar em sucesso um hotel que tivesse sido fechado e lacrado do que um que nunca houvesse perdido o embalo.

Dias depois, a comissão declarou válida minha compra do Atlantis, mas não emitiu a aprovação final. O problema agora, disseram, era que precisavam estudar outra questão – se minhas propriedades na cidade, incluindo o terreno da Penthouse que acabara de adquirir, constituíam "concentração econômica" excessiva.

Naturalmente Nolan estava de novo no centro da discussão, dizendo que a posse do Atlantis, somada às minhas outras proprie-dades, me daria uma "concentração econômica indevida de espaço para convenções, quartos de hotéis, espaço para estacionamentos e talvez outros aspectos do setor de hotéis-cassino em Atlantic City".

Claro que eu era um grande investidor em Atlantic City. Mas devo ser objeto de suspeita por causa disso? Mais uma vez, lá estava eu tentando evitar o fechamento de um grande hotel, investindo US$ 20 milhões em sua reforma e preservando centenas de empregos – e tudo que recebia em troca era muita incomodação.

Quando a CCC enfim concedeu aprovação unânime ao acordo do Atlantis, em 16 de junho de 1989, considerei uma grande vitória, prin-cipalmente porque a CCC concluiu que minhas aquisições do Atlantis e da Penthouse teriam efeito positivo no desenvolvimento de Atlantic City. Dias antes, um analista econômico independente contratado pela Divisão das Leis de Jogo, o professor Carl Shapiro, da Escola Woodrow de Assuntos Públicos e Internacionais da Universidade de Princeton, tinha apoiado minha posição, dizendo que a compra do hotel de forma alguma violava as regras antitruste e que de fato era muitíssimo melhor do que a cidade perder quinhentos quartos.

Ao dar sua aprovação, a CCC impôs três restrições. A comissão disse que eu teria de pedir permissão antes de construir mais quartos de hotel, comprar mais terrenos na região dos cassinos ou adquirir qualquer participação em uma empresa com licença para cassino. Mas posso lidar com essas restrições. Além disso, como observou o comissário Kenneth Burdge: "Se o Sr. Trump precisar de propriedades adicionais para expandir um de seus cassinos devido à natureza competitiva de seus negócios, deve ter condições para isso".

Contudo, não foi o fim dessa guerra específica. A venda do Atlantis ainda estava com uma juíza federal de falências chamada Rosemary Gambardella em Camden, New Jersey, e tudo que acontecesse naquela corte seria crucial. Meu amigo Joseph Nolan estava lutando contra nós lá também. Agindo talvez pelo desejo de salvar o emprego de curador, apareceu com outras nove partes que assegurou estarem interessadas em fazer propostas pelo Atlantis. Uma das ofertas que ele disse exceder à minha era dos irmãos Nakash, que fizeram muito dinheiro vendendo os *jeans* Jordache. A lista de investidores incluía também o apresentador de TV Morton Downey Jr., uma empresa imobiliária do Kansas e um investidor de Long Island que declarou estar fazendo uma oferta pelo hotel "Atlantic". Era do interesse dos credores do Atlantis, afirmou Nolan, que cada uma dessas propostas fosse considerada junto com a de Donald Trump.

Fiquei inteiramente de acordo e disse a meus advogados que não ficassem no caminho de Nolan e fizessem tudo para apressar o processo de falência. Pela minha perspectiva, se meu acordo não tivesse o aval da juíza Gambardella, eu ficaria anos no tribunal, rechaçando todos os compradores potenciais e antigos credores frustrados. A situação me lembrou o que passei para comprar a Eastern Shuttle. Como eu deixara claro que não aumentaria minha oferta em nem um dólar, corria o risco de perder tudo aquilo pelo qual havia lutado tanto. Mas eu queria o Atlantis livre e desembaraçado e nos meus termos – ou não queria nada.

A tensão era palpável no tribunal poucos antes de a juíza Gambardella anunciar sua decisão. Enfim a compra foi aprovada, "livre e desembaraçada de todos os ônus, gravames ou restrições de qualquer tipo ou natureza". A juíza descreveu minha oferta sem condicionantes e toda em dinheiro como "mais alta e melhor" do que as outras, que dependiam de financiamento e de vários tipos de aprovação da CCC.

Não havia mais nada a dizer. Tinha meu belo hotel de quinhentos quartos, agora conhecido como Trump Regency. Nolan, por sua vez, não teve escolha senão apresentar o pedido de demissão.

O CASO DA PENTHOUSE

No momento em que escrevo este livro, a história de como adquiri a propriedade da Penthouse ainda está se desenrolando.

Assim como o Atlantis, a propriedade da Penthouse estava na minha cabeça havia tempos. Consiste em um terreno e uma supe-restrutura adjacente ao Trump Plaza, o hotel-cassino mais bem-sucedido da cidade depois do Taj Mahal. De fato, não passava de uma monstruosidade subutilizada – um esqueleto de aço do que deveria ter sido o Penthouse Hotel and Casino.

O sonho de Bob Guccione de arrasar em Atlantic City chegara a um impasse em 1979. Antes de mais nada, para mim é um mistério por que o bem-sucedido editor da revista *Penthouse* quis construir algo em Atlantic City. Meu palpite é que ele iniciou a construção porque, no final da década de 1970, no auge da guerra entre as revistas adultas, Hugh Hefner anunciou que a Playboy construiria um hotel-cassino em Atlantic City. Guccione, como vim a saber, é um cara extremamente impetuoso, competitivo, e provavelmente não quis ficar sentado assistindo ao maior rival envolver-se em um empreendimento potencialmente lucrativo e glamouroso.

Porém, dizem os boatos que, assim como Hefner, Guccione foi barrado pela CCC, que avisou bem antes de qualquer audiência que por algum motivo ele não obteria a licença com facilidade. Quando Guccione ficou sabendo que não se qualificaria, simplesmente parou de construir e se ocupou de outros assuntos. Tenho certeza de que, de certa forma, ficou feliz por dar por encerrada uma coisa que desde o início o encheu de problemas. Depois de gastar muito tempo, esforço e dinheiro, Guccione nunca conseguiu completar o terreno onde construiria o hotel. O proprietário de uma casinha velha impediu-o, exigindo milhões por um pedaço de terra que provavelmente valia uns poucos milhares de dólares antes de o jogo chegar à cidade. Bob não teve escolha senão projetar seu hotel em torno do entrave o melhor que pôde. Por fim desistiu do projeto. Uma vez que a propriedade fica bem na entrada da cidade, isso significa que os visitantes saíam da Atlantic City Expressway e na hora viam um amontoado de casas dilapidadas e vigas de aço corroídas pela ferrugem.

Não era bom nem para a cidade nem para Guccione, que pagava cerca de US$ 8 milhões por ano em impostos sobre a propriedade. No entanto, ele nunca pareceu muito interessado em vender, a julgar pela resposta fria toda vez que um dos meus empregados ligava para sua organização e perguntava sobre a disponibilidade do local. Depois de um tempo, surgiu o boato de que eu e Guccione estávamos em briga. Ouvi dizer que Bob me detestava devido aos meus numerosos sucessos em Atlantic City, uma cidade que não o tinha recebido exatamente de braços abertos. Eu podia entender por que algumas pessoas pensavam isso, já que se passaram anos e um negócio que teria sido mutuamente benéfico nunca se realizou.

Acho que a verdade é que Bob, normalmente um cara muito sagaz, simplesmente ignorou a cena em Atlantic City até ficar farto de possuir aquela propriedade dispendiosa. Aí concordou em vendê-la à Pratt Hotel Corporation.

Jack Pratt, presidente da empresa, tinha dito a Guccione que a Pratt Hotel teria condições de construir um hotel-cassino de US$ 300 milhões no terreno da Penthouse. No fim não aconteceu – mas é claro que ninguém sabia disso ainda.

Quando ouvi falar do que Pratt estava planejando, fiquei bastante preocupado, pois ele não tinha feito qualquer projeto de estacionamento no local. Em uma cidade que já sofria de severa escassez de espaço para estacionamento e tinha congestionamentos semelhantes aos de Manhattan, parecia uma tolice inacreditável.

De forma alguma eu deixaria Pratt conseguir as aprovações de zoneamento e da CCC para um projeto que causaria enormes problemas de tráfego para o Trump Plaza e para Atlantic City. Não tardei a informar às autoridades competentes que o plano de Pratt era um desastre prestes a acontecer. O Caesars Hotel juntou-se a mim na objeção ao plano da Pratt, exigindo que o conselho de zoneamento vetasse o projeto.

No entanto, Pratt deu jeito de obter a aprovação do conselho de zoneamento. Apelei contra a decisão, mas no fim não importou, pois a Pratt Hotel não fechou o negócio. A empresa originalmente tinha até 15 de dezembro de 1988 para apresentar o preço de compra, segundo o acordo que incluía uma cláusula de "o tempo é fundamental". Isso significava que não poderia haver motivo válido para se ultrapassar a data estipulada. No entanto, a Penthouse concedeu prorrogação de 45 dias, alterando a data-limite para 1º de fevereiro de 1989. A Pratt também não cumpriu esse prazo.

Minhas negociações pela propriedade da Penthouse foram concluídas em meados de março. Cada um obteve o que desejava, e assim firmamos um preço de US$ 35 milhões, e Penthouse e Organização Trump anunciaram o acordo. Como o negócio traria grandes melhorias para uma área-chave de Atlantic City, todos ficaram felizes na cidade – exceto a Pratt Hotel Corporation, que imediatamente divulgou declaração de que "buscaria vigorosamente recursos legais contra a Organização Trump e a Penthouse International". Isso apesar de nunca ter tido dinheiro para construir o hotel proposto e não ter conseguido comprar o terreno mesmo com os dois prazos.

No desenrolar dos fatos, porém, a Penthouse processou primeiro, tentando forçar a Pratt a cumprir várias obrigações contratuais. Jack Pratt ameaçou "processar Trump como ele nunca foi processado". E fez isso mesmo. Em 3 de abril de 1989, ele processou a mim e a Bob Guccione, bem como as empresas que lideramos, por tudo, de conspiração a fraude e extorsão. Uma vez que o caso ainda está pendente enquanto escrevo este livro, meus advogados me instruíram a não comentar mais a respeito. Seria de mau gosto e antiético. O lamentável é que, por causa do processo, não posso limpar a principal via de acesso a Atlantic City, criando não apenas mais quartos de hotel, mas também belos parques e espaços ao ar livre. Em vez disso, construções demolidas e arruinadas permanecem como tristes lembretes dos problemas de Atlantic City.

É aqui que Leona Helmsley entra na história.

Por azar, um dos lotes que compunham a propriedade da Penthouse pertencia a Leona Helmsley e seu maravilhoso marido, Harry, o legendário corretor imobiliário de Nova York. Como parte de nosso acordo, adquiri um arrendamento de longo prazo pelo terreno, com opção de compra, mas precisava do consentimento formal do senhorio antes de poder exercer a opção. Em 99% dos casos, isso é mera formalidade, e por contrato Leona de fato era obrigada a dar seu consentimento a menos que houvesse um motivo de peso que a liberasse. No entanto, ela preferiu não cooperar, e, por causa dela, meu negócio estava sendo adiado e possivelmente prejudicado sem motivo.

Quando Leona armou essa manobra, fiquei louco de raiva – mas nem de leve surpreso. Ela é uma mulher vingativa que em poucos anos virtualmente destruiu a reputação que seu marido havia construído ao longo de uma vida.

Minha relação com Leona vem de muitos anos, do tempo em que eu era um rapaz em começo de carreira no ramo imobiliário.

Por algum motivo, embora eu ainda não fosse um tremendo sucesso naquela época, Leona sempre gostou de me ter por perto. Toda vez que dava uma de suas festas "Sou louca por Harry" para o marido, eu era convidado e sempre tinha um lugar ótimo, geralmente bem perto dela. Era uma situação estranha: eu podia ver a hostilidade nos olhos dela, mas por muito tempo não foi nada dirigido a mim. Na verdade, ela dizia para todo mundo que "esse jovem será o próximo Harry Helmsley", que eu era o mais esperto dos espertos e que não havia ninguém para competir comigo.

Eu ficava muito lisonjeado. Ao mesmo tempo, sabia que Leona tinha pavio curto e estava pronta para explodir a qualquer momento.

Uma noite, há uns quinze anos, quando ainda era solteiro, fui a uma de suas festas acompanhado por uma jovem modelo muito atraente. Logo que viu quem estava comigo, Leona ficou uma fera. "Como se atreve a trazer essa vagabunda a uma de minhas festas?", gritou, olhando a garota nos olhos.

De início fiquei chocado, mas aí tudo o que as pessoas haviam me falado sobre a personalidade Jekyl-e-Hyde de Leona começou a me vir à mente. No restante da noite, Leona foi só sorrisos e conversa trivial, como se nada tivesse acontecido.

No dia seguinte, quando eu estava no escritório, ela ligou e disse: "Seu escroto filho de uma puta. Vi você fazendo política com todos os meus convidados a fim de aprovar o seu centro de convenções. Não faça isso na minha casa. E não traga mais garotas bonitas às minhas festas, especialmente garotas que fazem as outras mulheres parecerem umas barangas". Aí gritou "Vá se foder" e desligou.

Bem-vindo ao mundo de Leona Helmsley.

Com o passar dos anos, Leona ficou obcecada por mim. A situação ficou tão ruim que certa vez, em um jantar para poucas pessoas, ela se levantou do nada e começou a explicar para todo mundo o cara mau que era Donald Trump. Meus amigos na festa não podiam acreditar no espetáculo que estavam vendo e ouvindo.

Devido ao ramo em que eu e Leona atuávamos, nossos caminhos se cruzavam com frequência, e toda vez ela me olhava com raiva – eu nunca soube ao certo por quê. Em duas ocasiões ela de fato me mostrou o dedo do meio em um salão de festas lotado em Nova York. Certa vez, em um evento social, um homem cometeu o erro de perguntar se ela me conhecia; Leona teve tamanho ataque de fúria que o pobre sujeito teve que pegar a esposa e ir embora.

Claro que dei jeito de acertar as contas com ela. Durante o período em que ela mal falava comigo, fui fundamental para acabar com uma negociação de área pública para a chamada Tudor City que teria permitido a Leona construir um prédio de apartamentos ou um hotel de luxo onde é hoje um parque em frente à sede das Nações Unidas. Foi um momento de doce vingança.

Nosso período de desavença durou uns cinco ou seis anos. Sempre que via Harry, ele era incrivelmente bacana comigo. Mas, se Leona estivesse por perto, ele fingia que eu não existia. Em seus últimos anos, Harry ficou verdadeiramente intimidado pela personalidade maluca de Leona. Não havia sido sempre assim. Certa noite, anos atrás, Harry e Leona estavam jantando comigo, e ela estava com um humor particularmente desagradável, gritando com os garçons, à beira do descontrole. No meio do jantar, Harry se levantou, deu um murro na mesa e gritou: "Basta, Leona! Você está fora de si. Fique calada o resto da noite". Depois disso ela ficou um cordeirinho. Infelizmente, com o passar do tempo, a força e a determinação de Harry foram desaparecendo, e Leona começou a ficar impune por coisas que um Harry mais jovem jamais teria permitido.

Nunca conheci ninguém igual a ela. Jamais esquecerei uma conversa que tivemos quando seu filho único, Jay Panzirer, morreu de ataque cardíaco. Eu havia lido que Harry estava criando uma fundação em memória de Jay e decidi enviar um cheque em respeito a Harry. Dias depois, recebi um telefonema de Leona. "Seu escroto filho de uma puta", começou ela, como de costume, "essa foi a coisa mais bonita que você poderia ter feito." E então desatou a chorar. Eu não sabia o que dizer.

Aí, lá pelo fim da conversa, as lágrimas completamente secas, ela gritou: "Mas isso prova uma coisa – você não é tão esperto quanto eu pensava". Eu não sabia do que se tratava até ela prosseguir: "Se você tivesse doado o dinheiro por uma empresa, e não pessoalmente, poderia deduzir do imposto de renda". Disse a Leona que o cheque não havia sido enviado com aquele objetivo, e o telefonema terminou bem.

Meses depois, um grande banco de Nova York deu um jantar no Metropolitan Museum of Art. Vi-me sentado à mesa com os Helmsley. Em virtude do último telefonema, as coisas estavam extremamente cordiais entre nós, mas Leona logo perdeu o controle. O banqueiro que estava em nossa mesa ouviu os maiores desaforos de Leona; ela gritou que, se ele não se "comportasse", ela faria Harry tirar todo o dinheiro do banco dele – "e deixaremos seu banco em frangalhos".

Aí Leona virou-se para Ivana, que antes havia dito que estava se preparando para sair de férias com as crianças sem mim, porque eu estava ocupado demais. "Você é uma trouxa de deixar seu marido sozinho em Nova York", gritou para Ivana. "Nunca deixei Harry sozinho uma noite em todo o nosso casamento, e nunca deixarei." Quanto a isso, tenho de admitir que Leona talvez estivesse certa.

Mas ninguém consegue se dar bem com Leona por um longo período – especialmente quem é bem-sucedido. É uma mulher invejosa e infeliz, que nunca se permitirá o luxo de ter amigos. Mesmo quando nossa relação era relativamente civilizada, lembro-me de pensar: "Espero nunca precisar de nada dela". Infelizmente, chegou o dia em que tive de pedir seu consentimento oficial para o terreno em Atlantic City.

Embora tal pedido devesse ter resultado em uma aprovação rotineira, eu sabia que nada seria rotineiro se Leona Helmsley descobrisse que eu estava comprando o terreno. O interessante é que eu vira Leona dias antes no Plaza Hotel, em um evento no qual ela e Harry foram homenageados. Na ocasião ela foi agradável ao máximo, enchendo-me de beijos e abraços com entusiasmo. No entanto, o que deveria ser um OK fácil se tornou um grande acontecimento.

Certa noite, nessa época em que Leona estava se recusando a ceder, compareci à festa de aniversário de uma das pessoas verdadeiramente maravilhosas de Nova York, o construtor Lew Rudin. Um homem chamado Irving Schneider, que trabalhava com Harry Helmsley, estava lá. Eu não o conhecia, mas sabia da reputação de homem duro, de natureza perversa, que, como Leona, parecia gostar de causar sofrimento.

Quando vi Irving, ele começou a falar do trabalho maravilhoso que eu estava fazendo. Agradeci e perguntei: "Onde está minha aprovação do terreno de Atlantic City?". Ele respondeu: "Os advogados vão entrar em contato com você", o que significava que eu não conseguiria a aprovação e teria que entrar na Justiça. Olhei para ele e falei: "Diga àquela mulher para quem você trabalha que estou ansioso para meter um processo nela e que, quando tiver acabado com ela, um monte de gente desta cidade vai ficar muito feliz".

Pensei que ele fosse ficar contente com o recado, pois tinha ouvido dizer que Leona o maltratava da mesma forma como maltratava Harry. Em vez disso, ele foi à loucura. "Quem diabos você pensa que é?", perguntou. E pela primeira vez desde o colégio, vi-me desafiado para uma luta. "Vamos para fora, que vou lhe mostrar quem manda", disse ele. "Bem, por mim tudo bem", respondi, dando de ombros, "se é o que você quer." Aí ele começou a gritar que eu o desafiara para uma luta e o ameaçara. Jamais esquecerei a visão desse homem no bar, incapaz de levar uma bebida aos lábios depois de ter feito papel de bobo. O engraçado é que, apesar de puxar o saco de Leona constantemente, ela o tratava como lixo.

No dia seguinte, escrevi uma carta ferina para Leona Helmsley e mandei uma cópia para todos os jornais de Nova York. A carta se transformou em uma história enorme nos jornais; o *New York Post* publicou-a na primeira página. Em grande parte por causa dessa publicidade, Leona recuou totalmente, e recebi o consentimento.

Isso mostra que a melhor maneira de lidar com valentões é batendo de frente.

11

MIKE TYSON E EU

Adoro esportes, mas detestei ser dono de um time. O New Jersey Generals – com Herschel Walker, Doug Flutie e Brian Sipe – definitivamente foi um espetáculo da efêmera Liga de Futebol Americano dos Estados Unidos. Mesmo assim, assistir do camarote do proprietário todas as semanas era uma tremenda montanha-russa. Quando o time ganhava, eu me sentia ótimo. Quando perdia, no entanto, meu emocional afundava, e andava por aí arrasado até o domingo seguinte. Detesto perder. E não tolero a situação de não ter controle direto sobre ganhar ou perder.

O boxe é diferente. Em primeiro lugar, não é uma rede de clubes como a Liga de Futebol Americano. Sob muitos aspectos, é um negócio muito simples, muito básico. Se você tem dinheiro para organizar uma grande luta, pode entrar quase instantaneamente nos níveis mais elevados. Hoje em dia, é claro, esse é um "se" bastante grande. As chamadas taxas de local para lutas importantes chegaram à beira do ridículo. Até mesmo uma disputa meia-boca pode custar US$ 10 milhões ou mais.

O que me leva à segunda coisa de que gosto no boxe: me permite exercer meus instintos empresariais. Não há órgão do governo, nem ligas, nem praticamente qualquer estrutura. *Eu* decido que lutas buscar e que lutas dispensar, como lidar com os vários promotores e depois como administrar e divulgar o evento para ter lucro. Organizar uma grande luta de boxe é como zunir estrada afora em um carro esporte potente, firme no volante e passando as marchas ao negociar as curvas. Às vezes, acaba com os nervos, mas no fim das contas é uma grande diversão.

O que não gosto no boxe é que se trata de um negócio no qual há pouquíssimas barganhas. Hoje em dia é quase impossível não pagar valores em alguma medida excessivos por uma grande luta. Isso porque o boxe já não é mais um negócio que tenha de fazer sentido em termos de bilheteria. Hoje todas as grandes lutas terminam em hotéis-cassino, em geral no Trump Plaza ou Taj Mahal, em Atlantic City ou algum lugar de Las Vegas. Os hotéis-cassino podem se dar ao luxo de apenas cobrir os custos ou até mesmo perder algum dinheiro com a venda de ingressos, pois uma luta de boxe importante muitas vezes traz consigo um enorme exército de jogadores que lotam as mesas – e não voltam para casa antes de ganhar ou perder um monte de dinheiro.

Observe que eu disse que os jogadores "muitas vezes" aparecem; não disse "sempre". Às vezes o dono de um cassino superestima o apelo de determinada luta e acaba perdendo muitos milhões. A luta entre Mike Tyson e Frank Bruno, há alguns anos, foi um desses casos.

Um hotel comprou o embate por US$ 5 milhões, segundo os relatos, e por um lado não posso culpá-los por pensar que a luta valia muito. A disputa Tyson–Bruno ocorreu poucos meses depois do confronto entre Tyson e Michael Spinks, um sucesso – a propósito, sediado no Trump Plaza, em Atlantic City. Embora não tenha sido exatamente uma obra-prima de competição atlética, o embate Tyson–Spinks foi um dos grandes *eventos* dos anos de 1980. O que mais, dentro ou fora do mundo dos esportes, foi capa das revistas *Time*, *Life*, *People* e *Sports Illustrated* e teve ampla cobertura no horário nobre das redes de TV? Em decorrência desse enorme sucesso, a luta Tyson–Bruno pareceu um evento imperdível para muita gente. Eu, no entanto, recusei essa, achando que, após ver Mike nocautear Spinks em 91 segundos, o público não estaria a fim de outro espetáculo unilateral. Foi apenas um palpite, sem base em pesquisas científicas de *marketing*, mas se constatou que eu estava certo. De acordo com as reportagens de jornal, foi necessário distribuir milhares de dólares em ingressos para que a arena parecesse lotada na TV.

Não me envolveria com o boxe se não acreditasse que tenho um bom instinto para o esporte. É um negócio arriscado demais. Mas no boxe, assim como em qualquer outro campo, você não consegue desenvolver instinto sem fazer o tema de casa direito. Leio as páginas de esportes todos os dias e monitoro o desempenho de certas lutas nas redes de TV e nos canais de *pay-per-view*. Também fico em contato com um monte de gente malandra – do tipo que você não encontra em Wall Street, na Quinta Avenida ou, no caso, em qualquer outro lugar fora do estranho mundo do boxe profissional.

Na minha opinião, o lutador de boxe mais interessante é um ex-moleque de rua do Brooklyn chamado Mike Tyson – outrora e, acredito eu, futuro campeão mundial. Mike teve um momento de fama que ninguém, com exceção talvez do grande Muhammad Ali, jamais teve. Por um breve, mas brilhante, período, ele pareceu totalmente sobre-humano. Era mais do que um grande lutador. Era uma das pessoas mais faladas do mundo.

Ainda me lembro de estar no grande salão de festas do Plaza Hotel, em Nova York, um ou dois meses antes da luta com Buster Douglas, e ver Mike fazer uma entrada impactante com Don King, seu promotor. A ocasião era um jantar beneficente para a March of Dimes. Ivana era a responsável pela lista de convidados e, em determinado momento, comentou que, embora o evento incluísse todos os grandes nomes da sociedade nova-iorquina e uma multidão de outras celebridades, faltava uma empolgação especial, algo que o diferenciasse dos outros. Sugeri que convidasse Mike. Bastou um telefonema dela para trazer o campeão dos pesos pesados e Don King de Cleveland. Ambos disseram que ficariam felizes por ajudar a angariar fundos para a March of Dimes em sua batalha contra doenças congênitas.

Ao chegar, Mike e Don causaram correria entre as centenas de repórteres e fotógrafos que cobriam o evento. Mas Mike fez mais do que aparecer para o jantar. Concordou também em atuar como *chef*-celebridade e até ganhou um prêmio pelas habilidades culinárias de um júri de críticos de gastronomia que incluía Bryan Miller, do *New York Times*, Craig Claiborne e Gael Greene.

No dia seguinte, os jornais estamparam fotos de Mike de *smoking* virando panquecas. Mas imagens como essa nunca permanecem por muito tempo na memória das pessoas. O público, e com frequência a imprensa, preferia pensar em Mike como meio homem, meio animal. Uma máquina de lutar.

Essa imagem foi criada em parte pelo próprio Mike, mas principalmente pelos escritores que publicaram artigos e livros contundentes sobre o jovem lutador. Em muitos casos, esses repórteres e autores ganharam um bom dinheiro à custa de Mike antes de se voltarem contra ele para fazer mais alguma grana com relatos patéticos e exagerados. Um desses escritores é José Torres, ex-lutador de boxe e ex-comissário de esportes do estado de Nova York. Torres ficou amigo de Mike e trabalhou com ele, e na frente de Mike não poderia ser mais bacana. Só que Torres usou conversas gravadas com Mike em um livro constrangedor para todos os envolvidos.

Conheço Mike Tyson muito bem. Desde meu último livro, organizei lutas dele contra Tyrell Biggs, Larry Holmes, Michael Spinks e Carl "The Truth" Williams, e estava na primeira fila quando ele perdeu o título para Buster Douglas, no Japão. Também passei muitas horas com o campeão em escritórios, aviões e na plateia de lutas de outros boxeadores. O Mike Tyson que conheço é muito diferente do cara que vejo retratado na imprensa. É um guerreiro profissional, sim, mas não é um semi-humano nascido para lutar.

Claro que Mike costuma se esforçar para não mostrar seu lado vulnerável. Ele cresceu em ruas da pesada, onde qualquer sinal de fraqueza poderia ser fatal. Além disso, foi treinado desde os 13 anos – quando Cus D'Amato tomou conta dele e começou a ensiná-lo a lutar boxe – para nunca deixar que o outro cara soubesse que estava sentindo dor e para transformar insegurança em desejo.

Mike tem uma ótima atitude em relação ao medo, que aprendeu de Cus, um homem muito sábio, além de legendário treinador de lutadores. "O medo é como o fogo", costumava dizer o velho treinador. "Se você não souber lidar com ele, o fogo pode matá-lo. Mas, se você usá-lo corretamente, o fogo pode aquecer sua casa." Isso é válido tanto no mundo dos negócios quanto no boxe.

O que muita gente nunca entendeu sobre Mike é que ele considera o boxe um trabalho de 24 horas por dia. Assim como um comediante que não consegue parar de contar piadas, ele está sempre ligado e, pelo menos em termos da impressão que quer causar, sempre pronto para reagir. Na maior parte da vida de Mike Tyson, sempre houve outra luta à vista no futuro, o que significa que sempre houve adversários lá fora pensando nele e escutando cada palavra que ele diz. Mike entende isso e, sem parar para realmente definir uma estratégia, desenvolveu uma forma de usar a imprensa para levar uma vantagem psicológica sobre os possíveis rivais.

Às vezes fez isso com humor. No vestiário, depois de uma de suas primeiras lutas, Mike dizia coisas como "Quando bati, ele gritou feito uma mulher", ou "Só queria empurrar o nariz dele para dentro da cabeça". Mike sabia que eram coisas ridículas de dizer, mas esperava que os repórteres publicassem os comentários ultrajantes para que o oponente seguinte lesse e se sentisse derrotado no mesmo instante. Em alguns casos, era pura encenação para a imprensa, embora isso desse errado na maioria das vezes. Os jornalistas e repórteres de TV nunca percebiam que Mike, meio aborrecido com as perguntas de sempre, estava na verdade parodiando uma entrevista pós-luta. Usavam as respostas, mas como exemplos do guerreiro implacável que ele era.

Eu achava aquilo o maior barato, pois cultivar a imagem de "matador" não é algo estranho a empresários. Um homem ou uma mulher inteligente sabe que, se a outra parte pensar que você é invencível, pode nem se dar ao trabalho de pedir certas coisas.

Bons empresários e boxeadores experientes não devem se abalar com palavreado duro – mas mesmo assim Mike obteve um tremendo resultado com esse ardil, por um tempo. Por exemplo, creio que nunca vi uma pessoa tão intimidada antes de uma luta quanto Michael Spinks enquanto se preparava para enfrentar Tyson. O minuto e meio que Spinks passou no ringue com Mike foi mera tecnicalidade. Apesar de ser um cara inteligente – ou talvez *porque* tivesse tanto bom senso –, Spinks desabou mentalmente antes mesmo de pisar no ringue.

Todavia, por algum motivo Buster Douglas nunca teve medo de Mike, e isso era evidente. Talvez porque estivesse preocupado com a mãe, que morrera cerca de um mês antes de ele enfrentar Mike. Ou talvez estivesse pensando na mãe de seu filho pequeno, recentemente diagnosticada com uma rara e possivelmente fatal doença renal. Ou talvez Buster simplesmente seja muito mais corajoso do que se pensava. Qualquer que tenha sido o motivo, ele lutou desde o início como se nunca tivesse ouvido os boatos de que Tyson era o melhor de todos os tempos.

Por mais que eu goste de Mike, e embora tenha interesse comercial em suas futuras lutas nos meus hotéis-cassino, tenho que dizer que Douglas fez uma luta verdadeiramente bonita – do tipo que traz à mente o termo "nobre arte". Não fez baderna. Não perdeu a frieza nem começou a desferir aqueles socos circulares vistosos, mas ineficientes. Em vez disso, definiu as coisas com *jabs* de esquerda contínuos e finalizou com uma direita contundente. Até então, todos os adversários de Mike tinham se preocupado em não se machucar. Douglas foi o primeiro a entender que a melhor defesa era um sensacional ataque interrupto.

Muito pouca gente, incluindo Mike, conseguiu aceitar que Tyson simplesmente foi derrotado. Perto de onde eu estava sentado, as pessoas começaram a berrar: "Foi armação. Ele estava drogado". Mais tarde houve uma pequena controvérsia a respeito de Tyson ter sido vitimado por uma contagem lenta. Mas no fim todos perceberam que, não importava quantos segundos tivessem se passado, a verdade é que Mike Tyson simplesmente não foi o melhor lutador de boxe naquela tarde de domingo no Japão.

Estou ansioso para ver o que vai acontecer com Mike a seguir. Não importa com quem lute nos próximos anos, ele está enfrentando seu maior desafio agora. Em um mundo que pergunta "O que você tem feito ultimamente?", ele só pode responder "Perdi a maior luta". Por muito tempo ele foi o Super-homem, ou pelo menos todos pensavam que fosse. Agora, se quiser se sentir bem consigo mesmo, terá que descobrir uma forma de se definir sem ser pelo histórico no ringue. Tudo bem, porque, de qualquer modo, mais cedo ou mais tarde, ele teria que fazer isso. Só espero que Mike não tenha se estragado demais com seus anos de sucesso imaculado.

Mike tem hábitos e atitudes incomuns, em especial no que diz respeito a dinheiro. É totalmente desinteressado. Houve ocasiões em que falei de planejamento financeiro, dedução de impostos e investimentos e vi em seus olhos que ele não prestava a menor atenção. Não que não conseguisse acompanhar o que eu estava dizendo. Apenas não tinha o mínimo interesse no assunto.

Logo depois da luta com Spinks, dei a Mike um cheque de US$ 10 milhões. Ele agradeceu, dobrou o cheque e colocou no bolso da jaqueta sem sequer dar uma olhada – não tinha importância. Dias depois, um de meus contadores ligou, disse que o cheque não tinha sido descontado e que era melhor verificarmos o que estava acontecendo.

Acontece que Mike simplesmente extraviou o cheque. Quando alguém o lembrou, ele deu de ombros e foi procurar, mas o cheque só foi encontrado e depositado semanas depois por um de seus funcionários.

Por causa da forma como Mike trata o dinheiro, muita gente prevê que vão passar a perna nele e deixá-lo sem um tostão, como já ocorreu com tantos campeões pesos pesados. Antes de conhecer Mike melhor, eu costumava dizer isso. Hoje não acredito que vá acontecer. Com sua esperteza das ruas, Mike sempre sabe quem está tentando tirar vantagem dele e quem está ao seu lado – e tenho pena do cara que tentar enganá-lo. Sim, ele deu um Bentley a uma guarda de trânsito e um Rolls-Royce a uma dupla de policiais sem pensar duas vezes, e quando essas histórias foram recontadas nos jornais, ele parecia descontrolado. Mas a verdade é que os dois carros constituíam uma fração minúscula da fortuna de Mike; foi como se um trabalhador comum doasse um par de patins.

De qualquer forma, esses incidentes remontam a uma época em que Mike estava extremamente confuso. Estou falando, claro, de seu breve e tumultuado casamento com a atriz Robin Givens.

Os detalhes desse período foram narrados tantas vezes pela imprensa que a essa altura todo mundo está familiarizado com a história pública. Basta dizer que Mike, normalmente a imagem de tenacidade mental, ficou em pedaços durante o casamento. Em meio a acontecimentos velozes e furiosos, Mike ligou para minha casa uma noite. Disse a ele que tentasse se controlar.

"Escute, Mike", eu disse, "você tem que se perguntar o que realmente sente por essa mulher."

"Sr. Trump", respondeu ele, parecendo mais confuso do que nunca, "eu amo essa vadia desgraçada."

Não acredito, no entanto, que haja heróis e vilões nessa história. Apesar de como foram retratadas na mídia, Robin e a mãe dela, Ruth Roper, não eram mulheres más; na verdade, indiretamente ganharam muito dinheiro para Mike ao insistir, por uma questão de princípios, que ele obtivesse uma fatia maior em seu contrato com o empresário Bill Cayton.

Ao mesmo tempo, no entanto, havia algo em Robin que deixava Mike louco. Ela é uma mulher extremamente bonita, e Mike ficou fascinado e de certa forma inebriado. Estive muito próximo deles durante aqueles meses difíceis, e ambos me procuraram em diferentes momentos para expressar seus sentimentos. Não creio que esteja violando um segredo se disser que o problema de Mike é que ele era muito mais apaixonado pelo exterior do que pelo interior de Robin. Mas agora o mais importante para ele e Robin é que o casamento acabou e a turbulência diminuiu.

A armadilha que Mike deve evitar no futuro é o erro comum de pensar que ter sucesso em uma área significa ser gênio em tudo. A não ser que passe por uma grande mudança na personalidade, Mike nunca será um empresário. Durante um tempo planejei ser conselheiro financeiro de Mike, algo que eu faria só por amizade a ele, e provavelmente a mais ninguém. No entanto, logo percebi que isso nunca daria certo devido à total falta de interesse de Mike por dinheiro. Não faria sentido eu falar de finanças pessoais e não ser ouvido. Meu recado para Mike há um bom tempo é simples: fique longe de investimentos, negócios imobiliários e deduções de imposto. Disse a ele para colocar parte do dinheiro em títulos do Tesouro e o resto em um banco sólido (embora haja cada vez menos). Por que Mike deveria tentar ganhar mais de 8% sobre seu dinheiro quando tem renda de US$ 50 a 100 milhões por ano e precisa de muito pouco para viver?

Qualquer discussão sobre Mike acaba levando a Don King. Como Mike, Don é um enigma. A diferença entre os dois é que Don adora isso; gosta de deixar as pessoas um pouco inseguras o tempo todo porque é algo que costuma funcionar a seu favor.

Don está sempre em evidência com seu penteado maluco e a propensão por falas longas e desconexas e palavras difíceis. Essa encenação levou muita gente a me perguntar como Don King realmente é a portas fechadas, ao final de uma longa e dura sessão de negociações. Só posso dizer: "Acredite se quiser, ele é extremamente igual". A persona bombástica surge naturalmente, e, como ele sabe que consegue desgastar e frustrar as pessoas agindo assim, não está disposto a mudar.

Os negócios de Don com Mike seguiram o estilo clássico das relações lutador-promotor. Quando ouvi falar pela primeira vez no futuro campeão dos pesos pesados, ele era um garoto empresariado por Bill Cayton e Jim Jacobs, sócios de uma agência de publicidade e de uma companhia que tinha a maior coleção mundial de filmes de luta. Don King estava em cena, mas em um papel menor, como promotor de Mike. Quando Jacobs morreu, Don imediatamente entrou em ação e tentou convencer Mike de que estava cometendo um erro em ficar com Cayton. Conheço Bill e acredito que seja um verdadeiro cavalheiro e que sempre teve em mente os interesses de Mike. Mas também percebo que é um homem mais velho, cuja formação é muito diferente da de Mike. Nunca conseguiu se relacionar com Mike como Don. Quando King assumiu o jovem lutador, não houve muita disputa.

Embora às vezes pareça um palhaço, Don é durão e muito sério em suas metas. Não dá a mínima para o fato de ser detestado por muita gente ou ter uma reputação de vigarista extraordinário entre o público em geral. O fato é que ele não é. É um homem de negócios astuto e obstinado. Quando uma luta importante está em discussão, ele sabe como me jogar contra meus rivais de Las Vegas e como jogar todos os interesses de Las Vegas uns contra os outros. Também é fanático por derrotar o *establishment* branco no jogo dele, e, embora isso não me favoreça em termos financeiros, considero admirável. Desde que ele jogue limpo e mantenha a palavra – o que faz comigo

–, não posso reclamar porque usa de todos os meios a seu dispor e conduz negociações duras.

Don pode ser tão duro e firme com seus lutadores quanto com as pessoas com quem negocia os eventos. Ele não faz campeões. Ele pega, de outros empresários e promotores, lutadores que chegaram ao topo. Até mesmo lutadores experientes e sagazes como Roberto Durán e Larry Holmes foram convencidos por Don, mediante uma combinação de arte em vendas com pura tenacidade, a esquecer suas antigas ligações e se aliar a ele. Em geral Don os leva a novas alturas. Mas, se um lutador tenta enganar Don ou viola o contrato, percebe que o cara com quem está lidando não é apenas um palhaço. Buster Douglas e seu empresário, Jimmy Johnson, descobriram isso ao tentar sair de um acordo assinado com a King Enterprises. É evidente que Don tem o direito de promover a revanche Tyson–Douglas e não vai desistir do que promete ser um dos maiores confrontos de pesos pesados do século.

Como Don King vai tratar Mike em longo prazo? Bill Cayton tem uma resposta interessante para a pergunta. "Mike está sofrendo da síndrome de Patty Hearst", disse a um repórter. "Ele se apaixonou por seu sequestrador."

Só o tempo dirá como vai funcionar a relação King–Tyson, mas de momento não me preocupo com Mike. Um dos motivos é que Don tem uma tremenda afeição pelo lutador, ainda bastante jovem; o desejo de proteger Mike a todo custo é quase uma obsessão. Nunca vi Don ser tão devotado a ninguém.

O outro motivo por que acredito que Mike não será prejudicado é que ele não é bobo. É um homem que aprendeu a se cuidar desde

muito novo. Logo depois da famosa altercação matinal com um ex-
-adversário chamado Mitch "Blood" Green em uma loja de roupas
de Harlem, falei com Mike por telefone e perguntei se realmente
tinha sido necessário recorrer à violência física. Mike soou incrédulo.
"Sr. Trump", disse ele, "o cara veio para cima de mim, tentando me
machucar. Eu *tive* que detê-lo." Mike pode não dar a mínima para
as flutuações do mercado de ouro ou de futuros da barriga de porco,
mas sabe quando alguém está tentando machucá-lo. Contanto que
não faça nada para se machucar, ele vai ficar bem.

PARTE 3

12

GARRA

Tenho reputação de durão e gosto de crer que seja justificada. Você *tem* de ser duro quando um monte de pessoas influentes diz que sua hora já passou, seu casamento acaba e as pressões nos negócios aumentam. Ser um cara durão, no fim das contas, é um dos principais segredos da minha sobrevivência. Mas percebo também que muita gente que usa o termo por aí não tem a mínima ideia do que realmente significa.

Quando tento definir o que é ser durão, costumo evocar uma imagem mental dos grandes *running backs* do futebol americano do passado. Não eram homens gentis – todavia, ninguém jamais os acusou de deslealdade. Às vezes você os via apenas avançando, ou driblando, ou se safando dos bloqueadores, ou evitando o contato dos adversários com o *stiff-arm*. Como todos os grandes atletas (e todos os grandes empresários), conheciam as jogadas tradicionais, mas não tinham medo de inventar movimentos enquanto jogavam. Quase nunca usavam a mesma tática duas vezes – mas uma coisa nunca mudava. Iam sempre em frente, com grande determinação, rumo à meta que, assim como todos os outros, almejavam.

Do meu ponto de vista, garra é uma qualidade composta de partes iguais de força, inteligência e respeito próprio. Acho que comecei a ficar intrigado com essa qualidade enquanto crescia e observava o que acontecia com meu irmão mais velho, Fred, um cara ótimo e talentoso que foi piloto de linhas aéreas, mas morreu de alcoolismo há alguns anos. Embora eu amasse Fred profundamente, ele não era um durão tradicional. Era doce e crédulo; o resultado é que as pessoas se aproveitavam dele o tempo todo. Vendo o que aconteceu com Fred, aprendi a estudar as pessoas com atenção e me manter sempre em guarda, tanto na vida pessoal quanto profissional. Fred foi com certeza um dos meus grandes professores.

Em certos casos, sim, ser durão envolve um esculacho à moda antiga. Por exemplo, às vezes ligo do nada para um dos meus hotéis ou para a Trump Shuttle só para ver quanto tempo meu pessoal leva para anteder o telefone. Se tenho de esperar mais de cinco ou seis toques, digo ao funcionário que enfim atende que sou eu. Em seguida pergunto – sem esconder meu aborrecimento – qual é o problema. Descobri que normalmente essa pessoa não terá de ser lembrada dos padrões que espero.

Porém, a despeito do que muita gente pensa, ser durão não tem nada a ver com maltratar as pessoas. Para mim, gente metida a durona tenta resolver um problema psicológico intimidando os outros. O mercado imobiliário, especialmente em Nova York, está cheio desses fanfarrões – gente que no passado conseguiu alguma coisa no grito e por isso continua gritando com adversários, funcionários, cônjuges.

Leona Helmsley é uma fanfarrona impelida principalmente pelo desejo de intimidar os outros ou escapar impune de algo que outras pessoas não conseguiriam evitar. Ser uma boa empresária, para ela, é secundário em relação a ser uma cadela de salto alto.

No geral sou amistoso, educado e alto-astral ao tratar com meus funcionários e até com adversários nos negócios. Não recomendo falar em tom severo com as pessoas nem ser mandão, a menos que isso sirva a um objetivo claro. Se, em uma de minhas inspeções locais, verifico que o sistema telefônico da Trump Shuttle não está perfeito e expresso meu descontentamento ou mesmo raiva, estou apenas cuidando do negócio de forma honesta. Não vou agir pelas costas de ninguém para reclamar ou despedir. Talvez tenhamos momentos desagradáveis, mas depois o ar fica leve de novo e podemos voltar ao trabalho.

Admiro a garra de gente como Rupert Murdoch, Steve Ross, Ace Greenberg, Ron Perelman, Marty Davis, da Paramount, Jack Welch, da G.E., e outros. São homens que esperam ser bem-sucedidos e compreendem os altos e baixos da manutenção do sucesso, mas não se sentem deslocados de seu elemento quando as coisas não vão bem; têm capacidade de pegar uma causa perdida e dar a volta.

Admiro a garra especialmente nas pessoas com quem negocio. Como certa negociadora implacável com o improvável nome de irmã Cecilia.

Conheci irmã Cecilia há alguns anos. Nossos caminhos se cruzaram porque ela era responsável pelo New York Foundling Hospital, uma venerável instituição de Manhattan situada há quase cem anos na esquina da Rua 69 com a Terceira Avenida. O local me interessava porque, nos dez últimos anos, o Upper East Side tinha se tornado uma região extremamente empolgante e desejável, principalmente para pessoas solteiras e ricas que podiam aproveitar a pleno o estilo de vida de Manhattan. Mas eu não teria pensado em abordar irmã Cecilia sobre o imóvel se não tivesse observado também que o hospital naquela vizinhança da moda, acomodado em cima de um terreno tão valioso, fazia cada vez menos sentido. Afinal, tratava-se de uma instituição que tentava proporcionar assistência médica aos pobres da cidade.

Achei que a ideia que planejava discutir com irmã Cecilia era boa para nós dois. Queria oferecer um ótimo preço pelo terreno e depois ajudá-la a implementar um plano que reorganizaria o New York Foundling Hospital em vários centros de saúde menores, situados nas áreas mais pobres – Centro, Harlem, Brooklyn e South Bronx –, onde eram extremamente necessários. O fato de ser um terreno ótimo para mim não me deixou menos orgulhoso da ideia, pois achei que ajudaria as pessoas e ajudaria a estabilizar algumas regiões problemáticas.

Liguei para o escritório da irmã Cecilia e pedi para marcar uma reunião. Ela concordou, ainda que sem o menor sinal de entusiasmo. Naquele instante eu deveria ter sabido que estava lidando com uma durona.

Minha entrada no escritório dela é uma experiência que jamais esquecerei. Enquanto eu sorria e me apresentava, ela me olhava sisuda. Ao estender a mão para cumprimentá-la, tive a sensação de que ela me bateria com uma régua. Em vez disso, apenas perguntou: "O que você quer?". O olhar era penetrante, o cabelo grisalho estava bem puxado para trás. Tudo nela dizia: "Corte as preliminares, rapazote, vá direto ao que interessa".

Não houve aquecimento com essa senhora. De repente, eu estava no meio do palco com as luzes sobre mim e tinha de fazer meu número. Mas tudo bem. Eu havia pensado bastante sobre o que ia falar e acreditava firmemente no meu plano. "Irmã", disse eu, "quero apresentar uma ideia. Essa vizinhança não é mais a mesma. Praticamente todos os seus pacientes têm de percorrer uma distância considerável para chegar ao hospital e não têm assistência nos bairros onde moram. Além disso, a senhora precisa de dinheiro para continuar o que faz."

A seguir expliquei meu plano em detalhes. Sabia que todos os outros construtores de Nova York estavam babando pelo terreno, e sem dúvida alguns já deveriam tê-la procurado, acenando com grandes quantias. Achei que levava vantagem sobre eles por vários motivos. Tinha uma ideia sobre o que o hospital poderia fazer com o dinheiro que eu estava oferecendo, tinha um plano para construir um belo prédio no lugar da estrutura antiquada do hospital e já tinha um excelente histórico de realizações.

Acho que nunca defendi um negócio com mais habilidade. Fiz uma apresentação de dez minutos na qual reuni toda a arte de vendas, charme e capacidade de negociação que tinha. Aí virei para ela e perguntei: "Então, irmã, o que acha?". Ela disse apenas: "Não". Não "você terá que aparecer com uma oferta melhor" ou "isso está acontecendo muito rápido, vou pensar e depois dou retorno". Apenas "não". E voltou ao trabalho, deixando claro que eu estava dispensado. Entendi que aquela era uma senhora durona.

Acontece que por sorte sou um cara muito persistente. Ao analisar a situação, percebi que não havia nada de errado com meu plano, nem com a oferta feita. Concluí que o problema era que, para ela, eu era apenas um cara surgido do nada fazendo grandes promessas. Precisava de alguém que me pusesse no contexto certo, para que minha reputação pudesse trabalhar por mim – em outras palavras, uma apresentação adequada.

Deixei passar um tempo, porque não queria parecer um chato para o pessoal do Foundling Hospital e porque estava ocupado com montes de outras coisas. Mas, enquanto esperava, a arquidiocese de Nova York anunciou a venda do hospital e a contratação de uma firma de consultoria para ajudar a comercializar a propriedade. A primeira coisa que fiz quando ouvi a notícia foi ligar para um grande amigo meu, Bill Fugazy.

Bill fundou uma das companhias de limusine mais famosas de Nova York e é um cara maravilhoso com quem jogar golfe, mas naquele dia liguei porque ele tem uma irmã que é freira católica. O nome dela é irmã Irene, e como dirige a ITV, a rede de TV católica de Nova York, tem contato com todo mundo da Igreja.

"Bill", disse ao meu amigo, "gostaria que sua irmã ligasse para a irmã Cecilia em meu nome. Estou muito interessado na propriedade do Foundling Hospital."

"Você e todos os outros caras do mercado imobiliário de Nova York", disse Bill. "Mas a arquidiocese fez um regulamento. Imprimiu um livreto detalhado sobre a propriedade e não vai aceitar nenhuma oferta até o livreto ser enviado por correio."

"Apenas me dê o número da sua irmã", disse a ele. "O resto é comigo."

Fui totalmente honesto com a irmã Irene.

"Quero comprar o terreno do hospital", disse a ela, "mas, da primeira vez que conversei com a irmã Cecilia, ela acabou comigo. Praticamente me expulsou. Não era tratado assim desde que saí da faculdade."

"Ora, ora, meu filho, acalme-se", disse a irmã Irene. "Irmã Cecilia é uma santa. Só está cuidando dos interesses do hospital. Vou ligar para ela em seu nome e ver o que posso fazer."

Pouco tempo depois, a irmã Irene ligou de volta, dizendo que a irmã Cecilia ficaria feliz em se reunir comigo para tratar do terreno do hospital. Não pude acreditar na mudança de atitude. Tampouco dei qualquer coisa como certa. Como garantia extra, quando fui me encontrar com ela liguei para outro amigo, Bill Flynn, presidente da Mutual Insurance Company of America. Além de católico irlandês ferrenho, Bill também era presidente do conselho diretor do Foundling Hospital.

Nunca deixe ninguém dizer que ter os contatos certos não é importante. A diferença entre meu primeiro e segundo encontro com a irmã Cecilia foi como da noite para o dia. Fiz minha apresentação outra vez e acabei firmando um acordo com ela e Bill Flynn de maneira rápida e eficiente. Enquanto isso, na semana seguinte à minha visita, o livreto foi entregue pelo correio, e outros construtores começaram a ligar enlouquecidos para a irmã Cecilia. Sei que muitos ficaram bem zangados quando descobriram que Donald Trump já havia assinado um contrato pelo lugar.

O oposto de ser durão – ser frouxo – me deixa furioso e às vezes revira meu estômago. Não me refiro aqui ao tipo de fraqueza oriunda de ser pobre, doente ou destituído. Falo de gente que pode assumir uma posição firme, mas simplesmente não o faz. Por isso comecei a falar sobre o que está acontecendo nos Estados Unidos, em particular no mundo dos negócios.

Nos dias de hoje, com o recuo do comunismo por quase toda parte, é tentador pensar que o jogo acabou e a América ganhou. Não vejo dessa maneira. Nossos problemas não se resolvem só porque o sistema do bloco do Leste de repente veio abaixo. Isso é vitória por desistência. Se nos dermos o crédito pelo triunfo e não encararmos os desafios diante de nós no cenário empresarial e econômico internacional, o papel dos Estados Unidos como nação líder do mundo livre estará em sério perigo nos próximos dez ou quinze anos.

Os Estados Unidos têm um excelente sistema de governo e uma bela filosofia a ser seguida. Nosso problema é que nos últimos anos só defendemos nossos ideais esporadicamente. A demissão em massa dos controladores de tráfego aéreo pelo presidente Ronald Reagan, em 1981, me vem à mente como um exemplo de se manter firme por um princípio, assim como a invasão de Granada, em 1983, e, ainda mais importante, a ação militar do presidente George Bush que levou Manuel Noriega, do Panamá, para uma prisão norte-americana, em dezembro de 1989. Para mim, no entanto, nosso bombardeio do quartel-general de Muammar Kadafi, na Líbia, é um caso clássico do quanto uma posição dura por um propósito válido pode ser eficiente na política internacional. Pense: desde que aquelas bombas começaram a explodir, quase não se ouviu falar de Kadafi, por muitos anos um dos grandes vilões do mundo moderno.

Mas a história prova que nem sempre se tem de recorrer a mísseis e rifles para transmitir uma mensagem. Na verdade, à medida que o século 20 se aproxima do fim, os maiores desafios e ameaças que enfrentamos são econômicos – e vêm de dois de nossos supostos aliados, Japão e Alemanha.

Faço um monte de negócios com ambos os países. Os japoneses são clientes regulares dos meus imóveis e visitantes frequentes dos meus cassinos. Japoneses e alemães detêm alguns de meus empréstimos. Sei que entenderão que, ao falar em público, o que estou defendendo na verdade é que, em nosso entusiasmo competitivo, sejamos mais parecidos com eles, povos e países pelos quais tenho muito respeito.

Japoneses e alemães não são o tipo de adversário que se enfrenta com armas. Todavia, uma mentalidade de tempos de guerra pode ser exatamente do que precisamos para lidar com eles. Temos de pensar em termos de vitória. O objetivo não é vencê-los como fizemos na Segunda Guerra Mundial. É nos reforçarmos.

Antes de que possamos predominar, precisamos acreditar que esses países não estão destinados a sempre conseguir o que querem. Grande parte do nosso problema é que *esperamos* que os japoneses levem a melhor sobre nós. Isso dá a eles uma tremenda vantagem psicológica. Achamos que eles estão destinados a ser os vencedores sempre. Mas não tem de ser assim.

Não faz muito, li uma reportagem no jornal dizendo que os japoneses estão usando redes excepcionalmente grandes na pesca comercial. Essas redes, na opinião de outros países que pescam nas mesmas águas internacionais, não só proporcionam uma vantagem desleal aos japoneses, como também provocam efeito danoso ao meio ambiente, pois levam à captura excessiva de certos peixes. Diante dessa situação, os outros países poderiam ter dito: "Bem, os japoneses estão por cima agora, são fortes, fazem o que querem". Em vez disso, esses países se juntaram, encaminharam um forte protesto às autoridades competentes e reclamaram ruidosamente na imprensa. Os japoneses recuaram no mesmo instante e disseram que usariam de novo as redes regulamentadas e observariam as mesmas normas que os demais.

O importante é que às vezes o que você tem de fazer é pedir, e – se demonstrar determinação suficiente – acabará recebendo o que quer. Também tem de ser persistente. Se pedir uma vez não adiantar, minha sugestão é pedir de novo – talvez com um pouco mais de ênfase – e de novo, de novo e de novo.

Em meu primeiro livro, contei como consegui um abatimento fiscal de quarenta anos da prefeitura de Nova York ao transformar o velho Commodore Hotel, na Rua 42, no Grand Hyatt. "Como você conseguiu *quarenta anos*?", me perguntaram. "É que não pedi cinquenta", respondi, dando de ombros.

Hoje em dia, muitos políticos não entendem que, a não ser que se levantem e digam claramente o que querem em uma situação específica, não podem esperar obtê-lo. Ou, o que é mais provável, entendem, mas por natureza são fracos ou temem ofender algum interesse especial e dão para trás em qualquer tipo de confronto. Como resultado, negociam exclusivamente por meio de transigências e concessões frouxas. Por isso é que, aos olhos do resto do mundo – mesmo de alguns de nossos supostos aliados –, quando se trata de negócios, nos tornamos uma nação de coração mole, da qual sempre dá para tirar vantagem.

Os japoneses não perdem uma chance de levar a melhor quando negociam conosco. Têm cotas e tarifas de importação para proteger seus interesses e até meios de fechar as brechas deixadas por suas políticas oficiais e garantir que praticamente nenhuma mercadoria norte-americana entre no país.

Um conhecido da indústria automobilística contou que havia exportado alguns carros para o Japão sem muita esperança de vendê-los lá, mais como uma experiência, só para ver o que aconteceria. Quando a carga chegou ao porto, descobriu que os japoneses teriam de inspecionar os veículos nos mínimos detalhes, aparentemente por causa do impacto potencial no meio ambiente. Quão detalhistas os japoneses são nisso? Bem, não verificam apenas um carro e presumem que todos os outros da mesma linha de montagem sejam virtualmente idênticos. Em vez disso, olham cada carro, tiram e recolocam o motor e fazem vários testes. Meu conhecido calculou que, no ritmo em que pretendiam agir, os inspetores japoneses talvez examinassem um carro por dia. Isso significava que o navio ficaria no porto por seis ou sete meses antes que todos os carros fossem testados e autorizados a entrar no país. Sob tais circunstâncias, ele não teve escolha a não ser mandar o navio voltar para os Estados Unidos com toda a carga.

Agora, não é espantoso que o país mais eficiente do mundo não consiga achar um jeito de descarregar um navio em menos de meio ano? Mas claro que isso é apenas parte da história. Enquanto os japoneses nos impedem de vender carros no país deles, os norte-americanos compram dezenas de milhares de Toyotas, Nissans e Hondas. Um dia desses li duas reportagens interessantes no mesmo jornal. Uma dizia que as montadoras norte-americanas estão passando por um momento extremamente difícil. A outra informava que a Toyota Motor Corporation tinha quase US$ 12 bilhões em *cash* no fundo corporativo – e que um de seus maiores problemas no momento era encontrar o que fazer com o todo esse dinheiro.

Pense: os dez maiores bancos do mundo são japoneses, e o maior banco dos Estados Unidos, o Citibank, está lá pela 27ª posição na lista. Pelos meus cálculos, o desequilíbrio comercial com o Japão está nos custando cerca de US$ 100 bilhões por ano. Alguns podem questionar esse número, um tanto maior que o oficial, mas ninguém nega que a situação esteja totalmente fora de controle. Todavia, qual a nossa reação? Bem, nos reunimos com o representante do Japão e saímos com promessas de oportunidades comerciais ampliadas, mas pouquíssima coisa específica e nenhum cronograma. Depois, como se já não fosse ruim o bastante, quando o primeiro-ministro retorna ao Japão, os líderes políticos dizem que ele prometeu ao presidente Bush coisas que não tinha o direito de prometer e que o acordo, que na verdade não era bem um acordo, está basicamente cancelado. Enquanto isso, os Estados Unidos perdem milhões de dólares por dia e ninguém faz nada.

O que realmente me choca, no entanto, é ouvir um homem como Roger Smith, presidente da General Motors, depreciar seu próprio produto e elogiar os japoneses. Oh, sim, os japoneses fazem carros verdadeiramente ótimos, disse Smith em um programa de TV nacional a que assisti por acaso não faz muito tempo. Aí acrescentou que a GM ainda não havia alcançado aquele padrão, mas pretendia fazê-lo... algum dia.

Sei que Roger Smith nunca teria chegado ao topo de uma corporação tão imensa se realmente fosse tão fraco quanto pareceu naquele programa. Mas chegou a hora de parar de ser diplomático e de sempre bancar o bonzinho com nossos rivais comerciais. Smith deve compreender que, quando um adversário consegue ver medo em seus olhos ou ouvi-lo na sua voz, você já era. Uma pessoa pode sobreviver na política ou em um emprego no Departamento de Estado sem ter talento visível, mas nos negócios – seja homem, seja mulher – você deve ter uma qualidade para a qual, infelizmente, não existe termo melhor do que "culhões".

Uma coisa é admirar o quanto o Japão avançou ao longo das décadas desde a derrota na Segunda Guerra Mundial. Mas muitos norte-americanos sentem reverência absoluta pelos japoneses. Acham que esse povo de certa forma está destinado a assumir o controle econômico do mundo e que nada pode detê-lo. Essa atitude me lembra como as pessoas costumavam falar dos russos. Estavam erradas naquela ocasião, e acho que estão erradas sobre os japoneses agora.

Há pouco tempo, recebi um telefonema de um velho amigo cuja voz, desde o primeiro alô, tinha aquele tom de preciso-de-um-favorzão. Normalmente não teria me importado de ajudar esse cara em quase nada. Tenho verdadeiro apreço por ele. É um corretor de ações que sempre dá duro e é bem-intencionado, embora muita gente, inclusive a esposa, o veja como um eterno perdedor. Mas dessa vez o favor que ele queria era muito grande.

"Donald", disse ele, "você tem que me ajudar. Gostaria que se reunisse com um homem que provavelmente é o segundo ou terceiro mais rico do Japão."

"Por quê?", perguntei.

"Porque ele disse que gostaria de ver você, e eu falei que poderia arranjar isso."

"Oh, você falou? E o que ele quer?"

"Só fazer umas perguntas."

"Escute, estou muito ocupado."

Mas ele insistiu.

"Donald, você não está entendendo. Isso é muito importante para mim em termos de negócios."

"Não posso."

"Mas, por favor..."

No decorrer da conversa ele foi cada vez mais enfático, até eu enfim concordar em receber o japonês no meu escritório, naquela semana. (A propósito, há uma lição aqui: nos negócios, como na vida, existe mais de uma maneira de se conseguir o que se quer. Logo que desliguei o telefone, me ocorreu que a imagem de "perdedor" do meu amigo pode ser cultivada e usada por ele como ferramenta de negociação. Se for, acho que dessa vez funcionou. Mas aparentar fraqueza não é uma tática que eu recomende a qualquer interessado em sucesso de longo prazo.)

Tirei o empresário japonês rico dos meus pensamentos; até que, dias depois, quando estava profundamente absorto no trabalho em minha mesa, ouvi um reboliço súbito do lado de fora do meu escritório. Parecia que o New York Mets estava me fazendo uma visita-surpresa. A primeira coisa que vi quando ergui os olhos foi um cara entrando lentamente de costas em meu escritório com uma câmera de vídeo no ombro. A câmera estava apontada para a porta. O cinegrafista era seguido por um homem com uma máquina fotográfica, clicando enlouquecidamente. O segundo cara parecia tirar fotos de tudo – inclusive do primeiro cara.

"Que diabos está acontecendo aqui?", indaguei. Era inacreditável – não bateram na porta, nem esperaram ser anunciados; simplesmente entraram de chofre. Mas não consegui ficar furioso com os dois fotógrafos. Estavam apenas fazendo o trabalho deles, que pelo visto era registrar a entrada de Um dos Homens Mais Ricos do Japão no meu escritório.

Foi bom terem trazido bastante filme. O personagem principal não apareceu logo. Foi precedido de uns onze ou doze subalternos, todos parecendo empresários poderosos. Mas não – quando o chefe de olhar muito intenso enfim entrou, todos os homens da comitiva agiram como mordomos e guarda-costas, pegando seu casaco, puxando a cadeira para ele e assim por diante. Sentado ali, assistindo ao espetáculo, pensei que as pessoas que acham que *eu* sou paparicado deviam ver aquilo.

Havia mais surpresas por vir. Meu visitante japonês rico nem deu bom-dia; já saiu falando:

"Quero imóveis".

"O quê?", perguntei.

"Quero imóveis para fins de investimento."

Ao ouvir isso, lancei um olhar para o meu amigo corretor, que havia se enfiado em meu escritório junto com a comitiva. Ele me olhou apreensivo, como se dissesse: "Vai ser um encontro difícil, não é, Donald?". Mentalmente respondi: "Não, não vai mesmo. Mas com toda certeza vai ser breve".

Virei para meu visitante, sorri e disse: "O relacionamento entre o seu país e o meu mudou muito nas últimas décadas, não é?".

A resposta foi rápida e direta: "Oh, sim, antes o Japão estava lá embaixo", disse, apontando para o chão, "e os Estados Unidos, lá em cima. Agora o Japão está por cima, e os Estados Unidos, por baixo. Não admiramos mais o seu país como antes. Mas vim falar de imóveis para fins de investimento".

Foi quando me levantei e disse ao meu visitante muito surpreso que achava que estava na hora de ele e seu pessoal se retirarem.

Fazia bastante tempo que eu não expulsava alguém do meu escritório. Mas foi bom. Não tive pudores em mostrar a porta de saída para todos, pois o rico cavalheiro japonês era, para dizer o mínimo, extremamente rude.

Só queria poder dizer também que ele estava errado.

Nós norte-americanos simplesmente não temos o respeito e a deferência que merecemos como uma grande potência, a líder indiscutível em poder militar e econômico. Achei brilhante quando a Arábia Saudita e o Kuwait – países onde muita gente vive em mansões – permitiram que policiássemos o Golfo Pérsico para eles (de graça). Na Coreia do Sul, com frequência ocorrem incidentes em que nossos soldados são maltratados e atacados nas ruas – enquanto os norte-americanos compram enormes quantidades de videocassetes, computadores e TVs coreanos.

Os alemães nos trataram ainda pior, se é que isso é possível. Por duas gerações, tropas norte-americanas proporcionaram segurança para a Alemanha Ocidental contra os soviéticos, mas, se um norte-americano tentasse vender um lápis nas ruas alemãs, as autoridades praticamente mandavam-no para a cadeia. Enquanto isso, esses mesmos alemães mandam suas Mercedes para cá com a mesma velocidade com que conseguem montá-las.

E a situação está ficando mais séria. Em 1992 os europeus terão formado uma comunidade econômica que tornará a realização de negócios naquela parte do mundo ainda mais difícil para nós do que já é hoje. Ao mesmo tempo, Alemanha Ocidental e Oriental deram início à reunificação, que paira como uma notícia muito ruim para o resto do mundo. Basta olhar a reação dos vizinhos da Alemanha. No momento em que o Muro de Berlim veio abaixo, Grã-Bretanha e França ficaram profundamente preocupadas com as ramificações de uma só nação alemã. Os Estados Unidos também deveriam se preocupar, dada a história problemática da Alemanha no século 20, para não falar de sua injustiça em relação à América nos últimos anos. Mas, como já era previsível, nós – ainda a nação mais importante e potencialmente mais influente do mundo (embora enfraquecendo rapidamente) – estamos mais uma vez parados à beira do caminho sem fazer nada, exceto esperar que se aproveitem de nós.

O mais irônico é que não falta gente por aí que entenda a necessidade de ser firme nos negócios. Desde a guerra do Vietnã, testemunhamos o surgimento de uma geração de indivíduos obstinados, intensos e às vezes implacáveis que saíram da faculdade e reescreveram por completo as regras de como fazer negócios neste país. Ainda assim, em nossas tratativas com o resto do mundo, viramos um bando de babacas com excessiva frequência.

É por isso que agora faço uma proposta modesta.

Acho que os Estados Unidos devem convocar seus líderes corporativos, negociadores independentes e outras figuras públicas não políticas surgidas nas duas últimas décadas para ajudar a forjar um novo relacionamento com o resto do mundo. Sugiro que essas pessoas formem uma espécie de time de elite que supervisione as negociações dos Estados Unidos com Japão, Europa e outras áreas que precisem de atenção especial. Os seletos voluntários seriam investidos de toda a autoridade permitida por nossa Constituição.

Abaixo estão listadas algumas pessoas que eu escolheria para essa tarefa. Observei-as trabalhar e, em alguns casos, já negociei com elas frente a frente. Posso garantir que, com carta branca, elas poderiam reverter a situação econômica deteriorada dos Estados Unidos e elevar nosso país à estatura de modelo para o resto do mundo em questão de meses.

- Jack Welch, da General Eletric.
- Henry Kravis, da Kohlberg Kravis Roberts, líder nacional das aquisições de controle acionário alavancadas.
- Steve Ross, da Time Warner.
- Martin Davis, presidente da Paramount Communications.
- Bob ou Sid Bass, investidores extraordinários.
- Michael Eisner, CEO da Disney.

- Ron Perelman, outro mago das aquisições alavancadas, dono da Revlon.
- Ted Turner, empresário da mídia.
- Carl Icahn, chefe da TWA.

Se fosse escolhido para atuar nesse conselho, sei qual seria minha primeira proposta: a imposição de uma taxa de 20% sobre as importações do Japão, da Alemanha e de outros países que não jogam conforme as regras. Esse dinheiro – que somaria bilhões de dólares – poderia reduzir o déficit federal e financiar educação, moradia e assistência médica nas regiões pobres de todo o país. E daí se os japoneses aplicassem uma taxa em nós como resposta? O fato é que o efeito seria insignificante, pois compramos muito mais deles do que vendemos.

Enquanto escrevo isso, já consigo ouvir os uivos de protesto de empresários estrangeiros que seriam afetados – e posso vê-los batendo à porta de senadores e deputados exigindo ser ouvidos. Mas não me sentiria pressionado por essas táticas, como os políticos envolvidos sem dúvida se sentiriam. Em vez disso, tomaria a forte reação como um indicativo de que fiz a coisa certa. E passaria para o próximo caso.

Os Estados Unidos têm sido fracos não apenas nas tratativas com outras nações, mas também ao lidar com nossos problemas internos, como uso de drogas e criminalidade desenfreada. Considero isso especialmente frustrante porque, a partir da correspondência que recebo e das pessoas com quem converso – seguranças, executivos, operários da construção civil –, tenho a sensação de que praticamente todo mundo nos Estados Unidos está farto da falta de progresso na resolução desses problemas. Querem ação. Ainda assim, a mentalidade predominante entre os políticos parece ser a de que tomar uma posição firme demais pode prejudicar a carreira política de um indivíduo.

Me dei conta disso há cerca de um ano, quando me envolvi em um debate sobre a pena de morte. O que aconteceu, como algumas pessoas hão de lembrar, foi que uma jovem executiva de Wall Street foi brutalmente espancada e violentada por uma gangue de rapazes quando corria no Central Park. O incidente terrível fez com que praticamente toda a cidade falasse que a criminalidade estava fora de controle e que os agentes da lei estavam de mãos atadas por causa de um sistema que garantia apenas os direitos do criminoso e mantinha a polícia em medo constante de enfrentar acusações de brutalidade. Para meu espanto, contudo, alguns colunistas de jornal e outros pularam em defesa dos membros da gangue. Para essas pessoas equivocadas, os ladrões e estupradores eram "as verdadeiras vítimas reais" devido a "causas subjacentes" como pobreza, falta de oportunidades educacionais e assim por diante.

Sem minimizar a situação aflitiva de muita gente em nossos bairros pobres, isso é ridículo. Na minha opinião, as pessoas que atacaram a corredora e riram disso depois de capturadas pela polícia não diferem em nada de animais. Acho que, se a mulher tivesse morrido, eles mereceriam ser executados – e ocupei um anúncio de página inteira no *New York Times* para dizer isso.

Logo que o anúncio saiu, recebi telefonemas de sete ou oito políticos importantes me parabenizando por tomar partido e dizendo que concordavam com minha posição. Eram pessoas muito proeminentes – nomes conhecidos –, com poder e influência para mudar as coisas. "Então por que você também não assume posição semelhante em público?", perguntei a cada um deles. "Você tem um cargo público importante, tem direito de voto no Legislativo. Tenho certeza de que poderia fazer algo útil."

Mas todos deram praticamente a mesma resposta: "Oh, nossa, eu gostaria, Donald, mas é um assunto muito controverso. Quando se está na política, é delicado. Não dá mais para pegar pesado em coisas como essa".

Ed Koch, na época ainda prefeito de Nova York, teve a reação típica dos políticos ao meu anúncio. Embora expressando a indignação obrigatória, disse que havia "controlado a raiva" em relação aos criminosos que espancaram a mulher quase até a morte e que não acreditava no ódio.

Eu acredito no ódio quando é apropriado e acho que essa é uma dessas ocasiões. Ninguém se importa mais com as opiniões de Ed Koch. Acho muito mais notável que, desde a publicação do anúncio, recebi mais de quinze mil cartas de apoio à minha posição em relação à pena de morte.

* * *

Toda vez que assumo uma posição como essa em público, as pessoas me perguntam se tenho planos de concorrer a algum cargo eletivo. A resposta é não. Não sou um político. Não gostaria de me envolver nas concessões, nos apertos de mão efusivos e em todas as outras coisas humilhantes que se tem de fazer para ganhar votos. Notei que a maior parte das pessoas boas que tivemos no governo nos últimos tempos foram nomeadas para seus cargos.

Mas acredito que eu poderia ser eleito? Em certa época teria dito que sim, provavelmente. Mas, desde que meus problemas conjugais e pressões nos negócios foram arrastados para os jornais, não tenho tanta certeza. De qualquer forma, teria de enfrentar um grande obstáculo se me candidatasse a um cargo público para valer: os norte-americanos estão tão acostumados com políticos profissionais que, quando deparam com uma personalidade forte – um homem ou uma mulher de ação –, ficam com medo, ou no mínimo muito desconfiados.

O fato é que existe certa lógica na relutância dos políticos profissionais em assumir uma posição firme. Garra assusta. Um homem brilhante como o general Douglas MacArthur nunca teria conseguido chegar ao poder nos Estados Unidos de hoje. (Posso imaginar MacArthur ouvir sobre "mil pontos de luz" e presumir que Bush estivesse falando de armas a *laser*.)

Porém, quando tememos líderes de grande paixão, quase sempre esquecemos que o outro lado também tem medo deles. Lembro-me de ter lido que Hitler, em seus primeiros anos de ascensão ao poder, falava constantemente sobre Winston Churchill com as pessoas de seu círculo. "Fiquem de olho nesse homem", Hitler sempre dizia. "Ele vai ser um de nossos maiores problemas." Os políticos ingleses criticaram Churchill por ter chamado Hitler de cão raivoso; não foi diplomático – na verdade, disseram, foi francamente incendiário. Todavia, Hitler, a seu modo, respeitava Churchill, reconhecendo-o não como apenas mais uma autoridade de governo, mas também como um defensor do povo inglês – um homem que jamais pararia de forçar e pressionar até conseguir o que desejasse. E quanto a isso Hitler estava certo, é claro. Quando o pessoal de Hitler disse que Churchill estava politicamente morto, que já não era um problema, Hitler afirmou que Churchill ressurgiria – "Gente desse tipo nunca morre".

Um de nossos maiores problemas é que hoje temos pouquíssimos defensores. Em vez disso, temos um excesso de gente fraca que faz concessões.

Respeito pessoas espertas e duronas da mesma forma que outros admiram grandes atletas e artistas – mesmo quando essas pessoas são impopulares ou passam por uma má fase. É por isso que, quando John Connally, ex-governador do Texas, telefonou para meu escritório há cerca de um ano, atendi imediatamente. Estive com John e apertei sua mão uma ou duas vezes, mas não o conhecia bem, por isso fiquei um pouco surpreso quando, no meio de uma conversa muito cordial, ele pediu um favor. Sua esposa, Nell, seria homenageada em um jantar, disse ele. Seria uma noite muito importante em Houston, e ele queria saber se eu atuaria como mestre de cerimônias honorário do evento.

Como já disse, não sou louco por viagens, nem por presidir grandes festas de caridade. Costumo mandar uma contribuição com a condição de não ter de comparecer ao evento, mesmo em Manhattan. Mas Connally era um homem que me fascinara desde que tinha sido ferido no momento do assassinato do presidente Kennedy, em 1963.

Mais tarde, quando foi indiciado no chamado escândalo do leite, no início da década de 1970, observei que ele permaneceu calmo, afirmou sua inocência com serenidade e acabou isentado de todas as acusações. Mais recentemente, John havia passado por alguns problemas financeiros graves. Perdera a maior parte de seu dinheiro quando a indústria do petróleo afundou, e foi forçado a pedir falência. Nunca vou me esquecer de ter assistido a um programa de notícias na TV e ver John e Nell sentados, com orgulho e dignidade, na primeira fila de um leilão no qual todos os seus pertences seriam vendidos pelos melhores lances.

Não posso falar da habilidade ou sorte de Connally como empresário, mas posso falar da garra! Ali estava um homem que muita gente pensou que seria presidente – e uma mulher que poderia ter sido primeira-dama – sofrendo um constrangimento terrível, mas mantendo a cabeça erguida. Só de observar a firmeza de caráter que exibiram naquela ocasião eu soube que iriam dar a volta por cima. E o jantar para o qual John estava me convidando provava que já haviam dado. Aceitei, e fico muito feliz por isso. O evento foi um enorme sucesso e uma celebração da resistência de John Connally – qualidade que é uma forma particularmente atraente da garra.

Então, para encerrar, o que é garra na metade da minha vida, segundo meu modo de ver?

Garra é orgulho, obstinação, comprometimento e coragem de ir em frente nas coisas em que se acredita, mesmo quando elas estão sob ataque. É resolver os problemas em vez de deixá-los supurar. É ser quem você realmente é, mesmo quando a sociedade quer que você seja outra pessoa. Garra é desistir das coisas que se quer quando, por um motivo ou outro, adquiri-las não faz sentido.

Garra é saber ser um vencedor gracioso – e partir para o rebote rapidamente quando se perde.

Para uma nação, garra significa evitar a complacência, enfrentar e resolver problemas de frente e estar disposto a usar o poder em favor de metas que se sabe ser honradas.

Nos negócios, garra significa jogar de acordo com as regras, mas também fazer essas regras trabalharem a seu favor. É olhar para um adversário do outro lado da mesa e dizer simplesmente: não.

Às vezes, se você aguenta firme o suficiente e, como dizem os treinadores de boxe, "continua batendo até a campainha soar", as pessoas notam e o encorajam. Um editorial do *New York Times* de 8 de junho de 1990 disse o seguinte.

> [Trump] deu aos não admiradores motivos em abundância para a alegria maliciosa com que ouvem falar de seus problemas. Bom de negócios, em toda oportunidade ele diz ao mundo o quanto é bom. Sente-se obrigado a pintar o nome TRUMP em toda aquisição. Ostenta suas posses – o maior iate, a maior casa, o maior helicóptero – e não faz muito anunciou a intenção de construir o edifício mais alto do mundo. Sua maior motivação não foi a cobiça, mas o sucesso.
>
> Arrogância? Com certeza; ainda assim, em um mundo carente de heróis, até alguns críticos de Donald devem confessar um respeito furtivo pela insistência em ser ele mesmo,

por mais ultrajante que seja, e se pegam torcendo para que ele encontre a força e a sorte de escapar.

Como disse repetidas vezes no meu primeiro livro e neste, acredito no trabalho árduo. Acredito em ser esperto, e não em ser queridinho. Não respeito trapaceiros. Minha admiração é reservada aos que alcançaram a grandeza e depois se superaram.

Nunca estou satisfeito – o que é a minha forma de dizer que existe um grande negócio que ainda quero fazer e acredito que deva fazer.

Algumas pessoas vivem dizendo que não posso continuar assim para sempre e que estou no começo do fim. Prefiro me ver como se estivesse no fim do começo.

Livros para mudar o mundo. O seu mundo.

Para conhecer os nossos próximos lançamentos
e títulos disponíveis, acesse:

🌐 www.**citadeleditora**.com.br

ⓕ /**citadeleditora**

📷 @**citadeleditora**

🐦 @**citadeleditora**

▶ Citadel - Grupo Editorial

Para mais informações ou dúvidas sobre a obra,
entre em contato conosco pelo e-mail:

✉ contato@**citadeleditora**.com.br